Un été avec Montaigne

DU MÊME AUTEUR

LA SECONDE MAIN OU LE TRAVAIL DE LA CITATION, Seuil, 1979.

LE DEUIL ANTÉRIEUR, Seuil, 1979.

NOUS, MICHEL DE MONTAIGNE, Seuil, 1980.

LA TROISIÈME RÉPUBLIQUE DES LETTRES, Seuil, 1983.

FERRAGOSTO, Flammarion, 1985.

PROUST ENTRE DEUX SIÈCLES, Seuil, 1989.

LES CINQ PARADOXES DE LA MODERNITÉ, Seuil, 1990.

CHAT EN POCHE : MONTAIGNE ET L'ALLÉGORIE, Seuil, 1993.

CONNAISSEZ-VOUS BRUNETIÈRE ?, Seuil, 1997.

LE DÉMON DE LA THÉORIE, Seuil, 1998.

BAUDELAIRE DEVANT L'INNOMBRABLE, Presses de l'Université de Paris-Sorbonne, 2003.

LES ANTIMODERNES, DE JOSEPH DE MAISTRE À ROLAND BARTHES, Gallimard, coll. «Bibliothèque des idées», 2005.

LA LITTÉRATURE, POUR QUOI FAIRE ?, Fayard, 2007.

LE CAS BERNARD FAŸ : DU COLLÈGE DE FRANCE À L'INDIGNITÉ NATIONALE, Gallimard, coll. «La suite des temps», 2009.

LA CLASSE DE RHÉTO, Gallimard, 2012.

Antoine Compagnon

Un été avec Montaigne

Éditions des Équateurs

Les gens seraient étendus sur la plage ou bien, sirotant un apéritif, ils s'apprêteraient à déjeuner, et ils entendraient causer de Montaigne dans le poste. Quand Philippe Val m'a demandé de parler des *Essais* sur France Inter durant l'été, quelques minutes chaque jour de la semaine, l'idée m'a semblé très bizarre, et le défi si risqué que je n'ai pas osé m'y soustraire.

D'abord, réduire Montaigne à des extraits, c'était absolument contraire à tout ce que j'avais appris, aux conceptions régnantes du temps où j'étais étudiant. À l'époque, l'on dénonçait la morale traditionnelle tirée des *Essais* sous la forme de sentences et l'on prônait le retour au texte dans sa complexité et ses contradictions. Quiconque aurait osé découper Montaigne et le servir en morceaux aurait été aussitôt ridiculisé, traité de *minus habens*, voué aux poubelles de l'histoire comme un avatar de Pierre Charron, l'auteur d'un *Traité de la sagesse* fait de maximes empruntées aux *Essais*. Revenir sur un tel interdit, ou trouver comment le contourner, la provocation était tentante.

Ensuite, choisir une quarantaine de passages de quelques lignes afin de les gloser brièvement, d'en montrer à la fois l'épaisseur historique et la portée actuelle, la gageure paraissait intenable. Fallait-il choisir les pages au hasard, comme saint Augustin ouvrant la Bible ? Prier une main innocente de les désigner ? Ou bien traverser au galop les grands thèmes de l'œuvre ? Donner un aperçu de sa richesse et de sa diversité ? Ou encore, me contenter de retenir certains de mes fragments préférés, sans souci d'unité ni d'exhaustivité ? J'ai fait tout cela à la fois, sans ordre ni préméditation.

Enfin, occuper l'antenne à l'heure de Lucien Jeunesse, auquel je dois la meilleure part de ma culture adolescente, c'était une offre qui ne se refuse pas[1].

---

1. Le texte est celui de l'édition de 1595 ; la pagination, celle du « Livre de poche », coll. « La Pochothèque » (Librairie générale française, 2001), sous la direction de Jean Céard.

I

L'engagement

Sous prétexte que Montaigne s'est volontiers dépeint comme un honnête homme, comme un oisif retiré sur ses terres, réfugié dans sa librairie, on oublie qu'il a été aussi un homme public engagé dans son siècle et qu'il a exercé d'importantes responsabilités politiques, durant une époque troublée de notre histoire. Il a ainsi servi de négociateur entre les catholiques et les protestants, entre Henri III et Henri de Navarre, le futur Henri IV, et il en tire cette leçon :

« En ce peu que j'ai eu à négocier entre nos Princes, en ces divisions, et subdivisions qui nous déchirent aujourd'hui : j'ai curieusement évité qu'ils se méprissent en moi, et s'enferrassent en mon masque. Les gens du métier se tiennent les plus couverts, et se présentent et contrefont les plus moyens, et les plus voisins qu'ils peuvent : moi, je m'offre par mes opinions les plus vives, et par la forme plus mienne. Tendre négociateur et novice : qui aime mieux faillir à l'affaire qu'à moi. Ç'a été pourtant jusques à cette heure, avec tel heur (car certes fortune y a la principale part), que peu ont passé de main à autre avec moins de soupçon, plus de faveur et de privauté. J'ai une façon ouverte, aisée à s'insinuer, et à se donner crédit, aux premières accointances. La naïveté et la vérité pure, en quelque siècle que ce soit, trouvent encore leur opportunité et leur mise » (III, 1, 1234-1235).

Toute sa vie adulte a été déchirée par les guerres civiles, les pires des guerres, rappelle-t-il volontiers, car elles mettent aux prises des amis, des frères. Depuis 1562 – il n'avait pas trente ans – jusqu'à sa mort en 1592, les batailles, escarmouches, sièges et assassinats n'ont été interrompus que par de courtes trêves.

Comment y a-t-il survécu ? Il se le demande souvent dans les *Essais*. Ici, c'est au chapitre « De l'utile et de l'honnête », en tête du troisième livre en 1588, après l'expérience éprouvante de la mairie de Bordeaux, en temps de guerre et de peste.

L'utile et l'honnête : Montaigne aborde la

question de la morale publique, ou de la fin et des moyens, de la raison d'État. La mode est à Machiavel et au réalisme politique, incarné en Catherine de Médicis, la fille de Laurent II, à qui Machiavel avait dédié *Le Prince*. La reine-mère, veuve d'Henri II, mère des trois derniers Valois, aurait pris la décision la plus odieuse de l'époque : le massacre de la Saint-Barthélemy.

Le machiavélisme autorise à mentir, à trahir sa parole, à tuer, au nom de l'intérêt de l'État, pour assurer sa stabilité, conçue comme le bien suprême. Montaigne ne s'y est jamais résolu. Il refuse partout la tromperie et l'hypocrisie. Il se présente toujours tel qu'il est, dit ce qu'il pense, au mépris des usages. À la voie couverte, comme il l'appelle, il préfère la voie ouverte, la franchise, la loyauté. Pour lui, la fin ne justifie pas les moyens, et il n'est jamais prêt à sacrifier la morale privée à la raison d'État.

Or, il constate que cette conduite insensée ne lui a pas porté préjudice et qu'elle lui a même plutôt réussi. Sa conduite est non seulement plus honnête, mais aussi plus utile. Quand un homme public ment une fois, il n'est plus jamais cru ; il a choisi un expédient contre la durée ; il a donc fait un mauvais calcul.

Selon Montaigne, la sincérité, la fidélité à sa

parole, est une conduite bien plus payante. Si l'on n'est pas poussé à l'honnêteté par conviction morale, alors la raison pratique devrait y inciter.

2

La conversation

Comment Montaigne se comporte-t-il dans la conversation, que ce soit un entretien familier ou une discussion plus protocolaire ? Il l'explique au chapitre « De l'art de conférer », dans le troisième livre des *Essais*. La conférence, c'est le dialogue, la délibération. Il se présente comme un homme accueillant aux idées des autres, ouvert, disponible, et non têtu, borné, buté dans ses opinions :

« Je festoie et caresse la vérité en quelque main que je la trouve, et m'y rends allègrement, et lui tends mes armes vaincues, de loin que je la vois approcher. Et pourvu qu'on n'y procède d'une trogne trop impérieusement magistrale, je prends plaisir à être repris. Et m'accommode aux accusateurs, souvent plus, par raison de civilité, que par raison d'amendement : aimant à gratifier et à nourrir la liberté de m'avertir, par la facilité de céder » (III, 8, 1447).

Montaigne assure qu'il respecte la vérité, même lorsqu'elle est prononcée par quelqu'un d'antipathique. Il n'est pas orgueilleux, ne ressent pas la contradiction comme une humiliation, aime à être corrigé s'il se trompe. Ce qu'il apprécie peu, ce sont les interlocuteurs arrogants, sûrs de leur fait, intolérants.

Il semble donc un parfait honnête homme, libéral, respectueux des idées, n'y mettant aucun amour-propre, ne cherchant pas à avoir le dernier mot. Bref, il ne conçoit pas la conversation comme un combat qu'il faudrait emporter.

Pourtant, il ajoute aussitôt une restriction : s'il cède à ceux qui le reprennent, c'est plus par politesse que pour s'améliorer, surtout si son contradicteur est infatué de lui-même. Alors il s'incline, mais sans soumettre son intime conviction. N'est-ce pas là de sa part une feinte, malgré son éloge constant de la sincérité ? À ses adversaires effrontés, et même aux autres, il tend à donner raison sans résister, par courtoisie, pour, dit-il, qu'on continue de le détromper, de l'éclairer. Il faut rendre les armes à l'autre – ou du moins le lui faire croire –, afin que celui-ci n'hésite pas à vous donner son avis dans l'avenir.

«Toutefois, poursuit-il, il est malaisé d'y attirer les hommes de mon temps. Ils n'ont pas le courage de corriger, parce qu'ils n'ont pas le courage de souffrir à l'être : Et parlent toujours avec dissimulation, en présence les uns des autres. Je prends si grand plaisir d'être jugé et connu, qu'il m'est comme indifférent, en quelle des deux formes je le sois. Mon imagination se contredit elle-même si souvent, et condamne, que ce m'est tout un, qu'un autre le fasse : vu principalement que je ne donne à sa répréhension, que l'autorité que je veux. Mais je romps paille avec celui, qui se tient si haut à la main : comme j'en connais quelqu'un, qui plaint son avertissement, s'il n'en est cru : et prend à injure, si on estrive [renâcle] à le suivre » (1447).

Montaigne regrette que ses contemporains ne le contestent pas assez, par hantise de se voir eux-mêmes contestés. Comme ils n'aiment pas être contrariés, que cela les humilie, ils ne contrarient pas, et chacun s'enferme dans ses certitudes.

Nouveau et dernier tournant : si Montaigne acquiesce aisément à autrui, c'est non seulement par urbanité, pour encourager son interlocuteur à lui donner la réplique, mais aussi parce qu'il est peu sûr de lui-même, que ses opinions sont changeantes, et qu'il se contredit tout seul. Montaigne aime la contradiction, mais il suffit à se la donner. Ce qu'il déteste par-dessus tout, ce sont les gens trop fiers qui s'offusquent que l'on ne se range pas à leur avis. S'il est bien une chose que Montaigne condamne, c'est la suffisance, la fatuité.

3

Tout bouge

On trouverait, un peu partout dans les *Essais*, des propos sur l'instabilité, la mobilité des choses de ce monde, et sur l'impuissance de l'homme à connaître. Mais nul n'est aussi ferme que celui-ci, au début du chapitre « Du repentir », au troisième livre. Montaigne y résume la sagesse qu'il a atteinte, que lui a procurée l'écriture de son livre. Nouveau paradoxe : la fermeté dans la mobilité.

« Les autres forment l'homme, je le récite : et en représente un particulier, bien mal formé : et lequel si j'avais à façonner de nouveau, je ferais vraiment bien autre qu'il n'est : meshui [désormais] c'est fait. Or les traits de ma peinture, ne se fourvoient point, quoiqu'ils se changent et diversifient. Le monde n'est qu'une branloire pérenne : Toutes choses y branlent sans cesse, la terre, les rochers du Caucase, les pyramides d'Égypte : et du branle public, et du leur. La constance même n'est autre chose qu'un branle plus languissant. Je ne puis assurer mon objet : il va trouble et chancelant, d'une ivresse naturelle. Je le prends en ce point, comme il est, en l'instant que je m'amuse à lui » (III, 2, 1255-1256).

Montaigne commence, comme souvent, par une profession d'humilité. Son but est bas, modeste. Il ne prétend pas enseigner une doctrine, à la différence de presque tous les auteurs, qui veulent instruire, façonner. Lui, il se raconte, il dit un homme. D'ailleurs, il se présente comme tout le contraire d'un modèle : il est « bien mal formé », et c'est trop tard pour se réformer. Il ne faudrait donc pas le prendre en exemple.

Et pourtant il cherche la vérité. Mais impossible de la trouver dans un monde aussi instable et turbulent. Tout coule, comme disait Héraclite. Il n'y a rien de solide sous le ciel, ni les montagnes ni les pyramides, ni les merveilles de la nature, ni les monuments édifiés par l'homme. L'objet bouge et le sujet aussi. Comment pourrait-il y avoir une connaissance solide et fiable ?

Montaigne ne nie pas la vérité, mais il doute qu'elle soit accessible à l'homme seul. C'est un sceptique qui a choisi pour devise : « Que sais-je ? », et pour emblème une balance. Mais ce n'est pas une raison de désespérer.

« Je ne peins pas l'être, poursuit-il, je peins le passage : non un passage d'âge en autre, ou comme dit le peuple, de sept en sept ans, mais de jour en jour, de minute en minute. Il faut accommoder mon histoire à l'heure. Je pourrai tantôt changer, non de fortune seulement, mais aussi d'intention : C'est un contrôle de divers et muables accidents, et d'imaginations irrésolues, et quand il y échoit, contraires : soit que je sois autre moi-même, soit que je saisisse les sujets par autres circonstances, et considérations » (1256).

Il s'agit de se résoudre à la condition humaine, d'accepter sa misère : son horizon est le devenir et non l'être. Dans un instant, le monde aura changé, et moi aussi. Dans les *Essais*, le registre de ce qui lui arrive et de ce qu'il pense, Montaigne se borne à noter combien tout change tout le temps. Il est un relativiste. On peut même parler de *perspectivisme* : à chaque moment, j'ai un point de vue différent sur le monde. Mon identité est instable. Montaigne n'a pas trouvé de « point fixe », mais il n'a jamais cessé de chercher.

Une image dit son rapport au monde : celle de l'équitation, du cheval sur lequel le cavalier garde son équilibre, son assiette précaire. L'assiette, voilà le mot prononcé. Le monde bouge, je bouge : à moi de trouver mon assiette dans le monde.

4

Les Indiens de Rouen

À Rouen, en 1562, Montaigne rencontra trois Indiens de la France antarctique, l'implantation française dans la baie de Rio de Janeiro. Ils furent présentés au roi Charles IX, alors âgé de douze ans, curieux de ces indigènes du Nouveau Monde. Puis Montaigne eut une conversation avec eux.

«Trois d'entre eux, ignorant combien coûtera un jour à leur repos, et à leur bonheur, la connaissance des corruptions de deçà, et que de ce commerce naîtra leur ruine, comme je présuppose qu'elle soit déjà avancée (bien misérables de s'être laissés piper au désir de la nouvelleté, et avoir quitté la douceur de leur ciel pour venir voir le nôtre), furent à Rouen, du temps que le feu Roi Charles neuvième y était : le Roi parla à eux longtemps, on leur fit voir notre façon, notre pompe, la forme d'une belle ville » (I, 30, 332).

Montaigne est un pessimiste : au contact du Vieux Monde, le Nouveau Monde se dégradera – c'est même déjà fait –, alors que c'était un monde enfant, innocent. C'est la fin du chapitre « Des cannibales ». Montaigne vient de peindre le Brésil comme un âge d'or, comme l'Atlantide de la mythologie. Les Indiens sont sauvages au sens non de la cruauté, mais de la nature – et nous sommes les barbares. S'ils mangent leurs ennemis, ce n'est pas pour se nourrir, mais pour obéir à un code d'honneur. Bref, Montaigne leur passe tout et ne nous passe rien.

« [...] après cela, poursuit-il, quelqu'un en demanda leur avis, et voulut savoir d'eux, ce qu'ils y avaient trouvé de plus admirable ; ils répondirent trois choses, d'où j'ai perdu la troisième, et en suis bien marri ; mais j'en ai encore deux en mémoire. Ils dirent qu'ils trouvaient en premier lieu fort étrange que tant de grands hommes, portant barbe, forts et armés, qui étaient autour du Roi (il est vraisemblable que ils parlaient des Suisses de sa garde) se soumissent à obéir à un enfant, et qu'on ne choisissait plutôt quelqu'un d'entre eux pour commander » (332).

Par un renversement que les *Lettres persanes* de Montesquieu rendront familier, c'est maintenant au tour des Indiens de nous observer, de s'étonner de nos usages, de noter leur absurdité. La première, c'est la « servitude volontaire », suivant la thèse de l'ami de Montaigne, Étienne de La Boétie. Comment se fait-il que tant d'hommes forts obéissent à un enfant ? Par quel mystère se soumettent-ils ? Suivant La Boétie, il suffirait que le peuple cesse d'obéir pour que le prince tombe. Gandhi prônera ainsi la résistance passive et la désobéissance civile. L'Indien ne va pas jusque-là, mais le droit divin du Vieux Monde lui semble inexplicable.

« Secondement […] qu'ils avaient aperçu qu'il y avait parmi nous des hommes pleins et gorgés de toutes sortes de commodités, et que leurs moitiés étaient mendiants à leurs portes, décharnez de faim et de pauvreté ; et trouvaient étrange comme ces moitiés ici nécessiteuses, pouvaient souffrir une telle injustice, qu'ils ne prissent les autres à la gorge, ou missent le feu à leurs maisons » (332-333).

Le deuxième scandale, c'est l'inégalité entre les riches et les pauvres. Montaigne fait de ses Indiens sinon des communistes avant la lettre, du moins des adeptes de la justice et de l'égalité.

Il est curieux que Montaigne ait oublié le troisième motif d'indignation de ses Indiens. Après une merveille politique et une autre économique, de quoi pourrait-il bien être question ? Nous ne le saurons jamais avec certitude, mais j'ai toujours eu une petite idée ; je la donnerai une autre fois.

5

Une chute de cheval

C'est une des pages les plus émouvantes des *Essais*, car il est rare que Montaigne raconte avec tant de soin une péripétie de sa vie, un moment aussi privé. Il s'agit d'une chute de cheval et de l'évanouissement qui suivit.

« Pendant nos troisièmes troubles, ou deuxièmes (il ne me souvient pas bien de cela) m'étant allé un jour promener à une lieue de chez moi, qui suis assis dans le moyeu de tout le trouble des guerres civiles de France ; estimant être en toute sûreté, et si voisin de ma retraite, que je n'avais point besoin de meilleur équipage, j'avais pris un cheval bien aisé, mais non guère ferme. À mon retour, une occasion soudaine s'étant présentée, de m'aider de ce cheval à un service, qui n'était pas bien de son usage, un de mes gens grand et fort, monté sur un puissant roussin, qui avait une bouche désespérée, frais au demeurant et vigoureux, pour faire le hardi et devancer ses compagnons, vint à le pousser à toute bride droit dans ma route, et fondre comme un colosse sur le petit homme et petit cheval, et le foudroyer de sa roideur et de sa pesanteur, nous envoyant l'un et l'autre les pieds contremont : si que voilà le cheval abattu et couché tout étourdi, moi dix ou douze pas au-delà, étendu à la renverse, le visage tout meurtri et tout écorché, mon épée que j'avais à la main, à plus de dix pas au-delà, ma ceinture en pièces, n'ayant ni mouvement, ni sentiment non plus qu'une souche » (II, 6, 594).

D'habitude, Montaigne parle de ses lectures et des idées qu'elles lui inspirent, ou bien il se dépeint plus qu'il ne se raconte. Mais on touche ici à un événement personnel. La narration est pleine de détails ; les circonstances sont précises : la deuxième ou troisième guerre civile, entre 1567 et 1570. Durant une accalmie, Montaigne sort de chez lui, sans s'éloigner de ses terres et sans grande escorte, sur une monture facile, pour se promener.

Puis vient la longue et belle phrase narrant la mésaventure, pleine de notations pittoresques : le puissant roussin monté par un de ses gens ; lui-même, « petit homme et petit cheval », renversés par l'énorme bête qui fond sur lui. Nous voyons le tableau ; nous nous représentons la campagne de la Dordogne, au milieu des vignes, sous le soleil, la petite troupe gambadant. Puis le choc : Montaigne à terre, renversé, défait de sa ceinture et de son épée, contusionné, et surtout évanoui, ayant perdu connaissance.

Car tout est là. Si Montaigne donne tant de détails, c'est qu'il ne s'est souvenu de rien et que ses gens lui ont raconté les faits, tout en lui cachant le rôle du grand roussin et de son cavalier. Ce qui l'intéresse et le trouble, c'est sa perte de conscience, puis son lent retour à la vie après qu'on l'eut ramené chez lui en le tenant pour mort. Cet accident, c'est donc pour Montaigne le plus près qu'il s'est approché de la mort, et l'expérience a été douce, insensible. Il ne faudrait donc pas craindre excessivement de mourir.

Au-delà de cette morale, Montaigne tire de l'expérience une leçon plus importante et moderne. Elle lui donne à réfléchir sur l'identité, sur le rapport du corps et de l'esprit. Inconscient, il semble qu'il ait agi, parlé, et même donné l'ordre qu'on s'occupe de sa femme qui, avertie, se dirigeait vers eux. Que sommes-nous, si notre corps s'agite, si nous parlons, ordonnons, sans que notre volonté y ait part ? Où est notre moi ? Grâce à cette chute de cheval, Montaigne, avant Descartes, avant la phénoménologie, avant Freud, anticipe sur plusieurs siècles d'inquiétude sur la subjectivité, sur l'intention ; et il conçoit sa propre théorie de l'identité – précaire, discontinue. Quiconque est tombé de cheval le comprendra.

6

La balance

Montaigne est un magistrat ; il a reçu une formation de juriste et il est très sensible à l'ambiguïté des textes, de tous les textes, non seulement les lois, mais aussi la littérature, la philosophie, la théologie. Tous sont sujets à interprétation et contestation, lesquelles, loin de nous rapprocher de leur sens, nous en éloignent toujours plus. Entre eux et nous, nous multiplions les épaisseurs de commentaires qui rendent leur vérité de plus en plus inaccessible. Montaigne le rappelle dans l'« Apologie de Raymond Sebond » :

« Notre parler a ses faiblesses et ses défauts, comme tout le reste. La plupart des occasions des troubles du monde sont Grammairiennes. Nos procès ne naissent que du débat de l'interprétation des lois ; et la plupart des guerres, de cette impuissance de n'avoir su clairement exprimer les conventions et traités d'accord des Princes. Combien de querelles et combien importantes a produit au monde le doute du sens de cette syllabe, *Hoc* ? » (II, 12, 820).

En homme de la Renaissance, Montaigne ironise sur la tradition médiévale qui a accumulé les gloses – comparées à des excréments par Rabelais, *faeces literarum*. Il plaide pour un retour aux auteurs, aux textes originaux de Platon, Plutarque ou Sénèque.

Mais il y a plus. À ses yeux, tous les troubles du monde – procès et guerres, litiges privés et publics – sont liés à des malentendus sur le sens des mots, jusqu'au conflit qui déchire catholiques et protestants. Montaigne le résume à une dispute sur le sens de la syllabe *Hoc*, dans le sacrement de l'Eucharistie : *Hoc est enim corpus meum, Hoc est enim calix sanguinis mei*, a dit le Christ et répète le prêtre : « Ceci est mon corps, ceci est mon sang. » Suivant la doctrine de la transsubstantiation, ou de la présence réelle, le pain et le vin se convertissent en chair du Christ. Mais les calvinistes se contentent d'affirmer la présence spirituelle du Christ dans le pain et le vin. Qu'en pense Montaigne, qui réduit la Réforme à une querelle de mots ?

Nous n'en savons rien, et il garde pour lui son intime conviction.

« Prenons la clause que la Logique même nous présentera pour la plus claire. Si vous dites, Il fait beau temps, et que vous dissiez vérité, il fait donc beau temps. Voilà pas une forme de parler certaine ? Encore nous trompera-t-elle : Qu'il soit ainsi, suivons l'exemple : si vous dites, Je mens, et que vous dissiez vrai, vous mentez donc. L'art, la raison, la force de la conclusion de cette-ci, sont pareilles à l'autre, toutefois nous voilà embourbés » (820).

L'exemple de l'Eucharistie lui sert à confirmer son scepticisme en reprenant le paradoxe du Crétois, ou du menteur : « Un homme déclare "Je mens". Si c'est vrai, c'est faux. Si c'est faux, c'est vrai. » Montaigne est un disciple de Pyrrhon, philosophe grec partisan de la « suspension du jugement » comme seule conclusion logique du doute. Mais, plus radical encore, il conteste même la formule « Je doute », car si je dis que je doute, de cela je ne doute pas : « Je vois les philosophes Pyrrhoniens qui ne peuvent exprimer leur générale conception en aucune manière de parler : car il leur faudrait un nouveau langage » (820-821).

Ce nouveau langage, Montaigne l'a trouvé

en formulant sa propre devise sous la forme d'une question, non d'une affirmation : « Cette fantaisie est plus sûrement conçue par interrogation : Que sais-je ? comme je la porte à la devise d'une balance » (821). La balance en équilibre représente sa perplexité, son refus ou son incapacité de choisir.

7

Un hermaphrodite

Sur le chemin de l'Allemagne, au cours de son voyage de 1580 jusqu'à Rome, Montaigne rencontra un homme qui était né fille et qui l'était resté plus de vingt ans, avant de devenir garçon :

« Passant à Vitry le François je pus voir un homme que l'Évêque de Soissons avait nommé Germain en confirmation, lequel tous les habitants de là ont connu, et vu fille, jusques à l'âge de vingt-deux ans, nommée Marie. Il était à cette heure-là fort barbu, et vieil, et point marié. Faisant, dit-il, quelque effort en sautant, ses membres virils se produisirent : et est encore en usage entre les filles de là, une chanson, par laquelle elles s'entravertissent de ne faire point de grandes enjambées, de peur de devenir garçons, comme Marie Germain.

Ce n'est pas tant de merveille que cette sorte d'accident se rencontre fréquent : car si l'imagination peut en telles choses, elle est si continuellement et si vigoureusement attachée à ce sujet, que pour n'avoir si souvent à rechoir en même pensée et âpreté de désir, elle a meilleur compte d'incorporer, une fois pour toutes, cette virile partie aux filles » (I, 20, 148-149).

Comme ses contemporains, Montaigne s'intéresse à ces « Histoires mémorables de certaines femmes qui sont dégénérées en hommes », titre d'un chapitre *Des monstres et prodiges*, l'ouvrage du médecin Ambroise Paré. La Renaissance est attirée par les curiosités de la nature, parmi lesquelles l'hermaphrodite, à la fois homme et femme. Marie devint Germain à la suite d'un effort physique qui délogea son membre viril, jusque-là escamoté, retourné vers l'intérieur, si bien qu'on l'avait toujours cru fille.

Mais Montaigne minimise la merveille. De tels accidents arrivent souvent ; les filles ont donc raison d'éviter les grandes enjambées qui les transformeraient en garçons. La cause en est la « force de l'imagination » – c'est le titre du chapitre où figure l'anecdote. Au lieu de tant penser au sexe, les filles ont plus vite fait de l'engendrer en elles. À force d'y penser, il leur pousse. Il ne s'agit pas de l'« envie du pénis », théorisée par Freud comme stade du développement de la petite fille, mais du désir féminin, aussi mystérieux pour Montaigne que pour Rabelais dans le *Tiers Livre*. À trop désirer l'homme, vous le devenez. Difficile, comme souvent, de décider si Montaigne se moque.

D'ailleurs, il en vient aussitôt, et bien plus longuement, à de nombreux cas d'une situation beaucoup plus ordinaire illustrant la force de l'imagination : à savoir, l'impuissance masculine, le « nouement d'aiguillette », comme on appelait le maléfice consistant à nouer un cordon en prononçant une formule magique, pour frapper un homme d'impuissance et empêcher la consommation du mariage. Montaigne n'hésite pas à commencer par narrer une circonstance où « monsieur ma partie » (156), comme il l'appelle plaisamment en se faisant son avocat, « tel de qui je puis répondre, comme de moi-même » (150), lui fit défaut après qu'un ami lui eut raconté une sienne défaillance et quand il y repensa au mauvais moment.

Pas de meilleure illustration des rapports compliqués de l'esprit et du corps que cet organe masculin qui ne répond pas à mes ordres et n'en fait qu'à sa tête, comme s'il avait sa propre volonté, indépendante de moi, désobéissante, déréglée et rebelle : « Veut-elle toujours ce que nous voudrions qu'elle voulût ? » (156), demande Montaigne, qui se représente l'identité comme un petit théâtre psychique où dialoguent, se disputent diverses instances comme sur la scène d'une comédie : esprit, volonté, imagination.

8

La dent tombée

La mort est l'un des grands sujets sur lesquels Montaigne médite et auxquels il ne cesse jamais de revenir. Les *Essais* sont aussi une préparation à la mort, depuis le chapitre « Que philosopher c'est apprendre à mourir », au début du premier livre, jusqu'à la fin du troisième livre, au chapitre « De la physionomie », où Montaigne loue l'attitude stoïque des paysans, exposés aux ravages des guerres et de la peste, et aussi sages, tranquilles que Socrate au moment de boire la ciguë, et au chapitre « De l'expérience ».

« Dieu fait grâce à ceux, à qui il soustrait la vie par le menu. C'est le seul bénéfice de la vieillesse. La dernière mort en sera d'autant moins pleine et nuisible : elle ne tuera plus qu'un demi, ou un quart d'homme. Voilà une dent qui me vient de choir, sans douleur, sans effort : c'était le terme naturel de sa durée. Et cette partie de mon être, et plusieurs autres, sont déjà mortes, autres demi-mortes, des plus actives, et qui tenaient le premier rang pendant la vigueur de mon âge. C'est ainsi que je fonds, et échappe à moi » (III, 13, 1716-1717).

On ne peut pas essayer la mort, qui n'advient qu'une fois, mais Montaigne profite de toute expérience qui peut lui en donner le pressentiment, par exemple – on en a parlé – une chute de cheval, suivie d'un évanouissement qui lui a paru une mort douce, paisible. Ici, la chute d'une dent donne lieu à une petite fable sur la mort.

Vieillir offre du moins un avantage : c'est que l'on ne mourra pas d'un seul coup, mais peu à peu, bout par bout. Si bien que la « dernière mort », comme il l'appelle, ne devrait pas être aussi tranchante que si elle était advenue au cours de la jeunesse et dans la fleur de l'âge. La dent qui tombe – affliction banale, non catastrophique, que Montaigne a dû connaître – devient un indice du vieillissement et une anticipation de la mort. Il la compare à d'autres défaillances qui affectent son corps, dont l'une touche, on le comprend, à son ardeur virile.

La dent et le sexe, Montaigne les associe avant Freud comme signes de puissance, ou d'impuissance quand ils manquent à l'appel.

« Quelle bêtise sera-ce à mon entendement, de sentir le saut de cette chute, déjà si avancée, comme si elle était entière ? Je ne l'espère pas » (1717). La fin du passage est pourtant ambiguë : ce serait bête de ressentir la dernière mort, celle qui n'emportera plus qu'un reste d'homme, comme si elle était entière. Montaigne espère que cela ne lui arrivera pas. Mais en est-il convaincu ? Il s'interroge : poser la question, c'est reconnaître qu'elle se pose. On a beau avoir perdu une dent et constaté d'autres faiblesses de son corps, la dernière mort n'en sera peut-être pas moins vécue comme si elle était entière.

« La mort se mêle et confond partout à notre vie : le déclin préoccupe son heure, et s'ingère au cours de notre avancement même. J'ai des portraits de ma forme de vingt et cinq, et de trente-cinq ans : je les compare avec celui d'asteure [de maintenant] : Combien de fois, ce n'est plus moi : combien est mon image présente plus éloignée de celles-là, que de celle de mon trépas » (1718).

Montaigne se raisonne : son esprit fait la

leçon à son imagination. Nous possédons des photos de nous aux divers âges de la vie, nous savons que ce n'est plus nous sur ces clichés jaunis. Montaigne insiste sur la différence qu'il y a entre moi à cette heure et moi jadis. Il n'empêche que quelque chose en moi reste entier : « ce n'est plus moi », dit-il d'un ancien portrait. C'est donc qu'il reste un moi, une vie intacte, et c'est ce moi qui disparaîtra.

9

Le Nouveau Monde

La découverte de l'Amérique, puis les premières expéditions coloniales, ont marqué les
esprits en Europe. Certains y ont vu une raison d'optimisme, un progrès pour l'Occident,
qui doit beaucoup à l'Amérique : les tomates,
le tabac, la vanille, le piment, et surtout l'or.
Mais Montaigne exprime de l'inquiétude.

« Notre monde vient d'en trouver un autre
(et qui nous répond si c'est le dernier de ses
frères, puis que les Démons, les Sibylles, et
nous, avons ignoré cettui-ci jusqu'à cette
heure ?) non moins grand, plain, et mem-
bru, que lui : toutefois si nouveau et si enfant,
qu'on lui apprend encore son a, b, c : Il n'y
a pas cinquante ans, qu'il ne savait, ni lettres,
ni poids, ni mesure, ni vêtements, ni blés, ni
vignes. Il était encore tout nu, au giron, et ne

vivait que des moyens de sa mère nourrice. Si nous concluons bien, de notre fin [...], cet autre monde ne fera qu'entrer en lumière, quand le notre en sortira. L'univers tombera en paralysie : l'un membre sera perclus, l'autre en vigueur » (III, 6, 1423-1424).

On n'a pas fini, suggère Montaigne, de trouver des mondes, et à quoi tout cela nous mènera-t-il ? Montaigne pense que le Nouveau Monde, comparé au sien, est un monde innocent, qu'il caractérise par ce qui lui manque : l'écriture, les vêtements, le pain et le vin. Des questions religieuses essentielles sont sous-jacentes. S'ils vont tout nus sans honte, comme Adam et Ève au Paradis, est-ce parce qu'ils n'ont pas connu la Chute ? Parce que le péché originel les a épargnés ?

Cet autre monde serait plus proche de l'état de nature que le Vieux. Or la nature, la mère nature, est toujours bonne pour Montaigne, qui ne cesse de la louer, en l'opposant à l'artifice. Plus nous sommes près de la nature, mieux c'est ; les hommes et les femmes du Nouveau Monde vivaient donc mieux avant que Christophe Colomb ne les découvre.

Montaigne redoute le déséquilibre que le contact des deux mondes, à des stades différents de leur développement, créera dans l'univers. Il conçoit celui-ci sur le modèle du corps humain, suivant l'analogie du macrocosme et du microcosme. L'univers deviendra un corps monstrueux, monté sur une jambe vigoureuse, l'autre invalide ; il sera difforme, bancal, boiteux.

L'auteur des *Essais* ne croit pas au progrès. Sa philosophie cyclique de l'histoire est calquée sur la vie humaine, laquelle va de l'enfance à l'âge adulte, puis à la vieillesse, ou de la grandeur à la décadence. La colonisation de l'Amérique ne présage rien de bon, car le Vieux Monde corrompra le Nouveau :

« Bien crains-je, que nous aurons très fort hâté sa déclinaison et sa ruine, par notre contagion : et que nous lui aurons bien cher vendu nos opinions et nos arts. C'était un monde enfant : si ne l'avons-nous pas fouetté et soumis à notre discipline, par l'avantage de notre valeur, et forces naturelles : ni ne l'avons pratiqué par notre justice et bonté : ni subjugué par notre magnanimité » (1424).

Le contact du Vieux Monde accélérera l'évolution du Nouveau vers sa décrépitude, sans nous rajeunir, car l'histoire va à sens unique et l'âge d'or est derrière nous. Ce n'est pas notre supériorité morale qui a conquis le Nouveau Monde, mais c'est notre force brute qui l'a soumis.

Montaigne vient de lire les premiers récits de la cruauté des colons espagnols au Mexique et de leur destruction sauvage d'une civilisation admirable. Il est l'un des premiers censeurs du colonialisme.

Les cauchemars

Pourquoi Montaigne s'est-il mis à écrire les *Essais* ? Il en donne l'explication dans un petit chapitre du premier livre, « De l'oisiveté », où il décrit les mésaventures qui suivirent sa retraite de 1571 :

« Dernièrement que je me retirai chez moi, délibéré autant que je pourrais, ne me mêler d'autre chose, que de passer en repos, et à part, ce peu qui me reste de vie : il me semblait ne pouvoir faire plus grande faveur à mon esprit, que de le laisser en pleine oisiveté, s'entretenir soi-même, et s'arrêter et rasseoir en soi : Ce que j'espérais qu'il pût meshui [désormais] faire plus aisément, devenu avec le temps, plus pesant, et plus mûr : Mais je trouve, *variam semper dant otia mentem* [toujours l'oisiveté rend l'esprit inconstant, Lucain], qu'au rebours faisant le cheval échappé, il se donne cent fois plus de carrière à soi-même, qu'il ne prenait pour autrui : et m'enfante tant de chimères et monstres fantasques les uns sur les autres, sans ordre, et sans propos, que pour en contempler à mon aise l'ineptie et l'étrangeté, j'ai commencé de les mettre en rôle : espérant avec le temps, lui en faire honte à lui-même » (I, 8, 87).

Montaigne raconte l'origine des *Essais*, après la résignation de sa charge de conseiller au Parlement de Bordeaux, à l'âge de trente-huit ans. Ce à quoi il aspirait, suivant le modèle antique, c'était au repos studieux, au loisir lettré, à l'*otium studiosun*, afin de se trouver, de se connaître. Comme Cicéron, Montaigne pense que l'homme n'est pas vraiment lui-même dans la vie publique, le monde et le métier, mais dans la solitude, la méditation et la lecture. Plaçant la vie contemplative au-dessus de la vie active, il n'est pas encore un de ces modernes qui jugeront que l'homme se réalise dans ses activités, dans le *negotium*, le négoce, soit la négation de l'*otium*, du loisir. Cette éthique moderne du travail a été liée à la montée du protestantisme, et l'*otium*, l'oisiveté, a perdu sa valeur suprême pour devenir un synonyme de la paresse.

Or, que dit Montaigne ? Que dans la solitude, au lieu de trouver son point fixe et la sérénité, il a rencontré l'angoisse et l'inquiétude. Cette maladie spirituelle, c'est la mélancolie, ou l'acédie, la dépression qui frappait les moines à l'heure de la sieste, celle de la tentation.

L'âge, pensait Montaigne, aurait dû lui donner de la gravité, mais non, son esprit s'agite au lieu de se concentrer, fait, suivant une belle image, le « cheval échappé », court en tous sens, se disperse plus que du temps où sa charge de magistrat l'accablait. Les « chimères et monstres fantasques » qui prennent possession de son imagination, ce sont des cauchemars, des tourments, au lieu de la paix espérée, comme sur un tableau de Jérôme Bosch représentant *La Tentation de saint Antoine*.

Alors, dit-il, il s'est mis à écrire. Le but de la retraite n'était pas l'écriture, mais la lecture, la réflexion, le recueillement. L'écriture a été inventée comme un remède, soit une façon de calmer l'angoisse, d'apprivoiser les démons. Montaigne s'est résolu à enregistrer les spéculations qui lui passaient par la tête, à les « mettre en rôle », écrit-il. Le rôle, c'est le registre, le grand cahier des entrées et des sorties. Montaigne s'est décidé à tenir les comptes de ses pensées, de ses délires, pour y mettre de l'ordre, pour reprendre le contrôle de lui-même.

Bref, cherchant la sagesse dans la solitude, Montaigne a frôlé la folie. Il s'est sauvé, guéri de ses fantasmes et hallucinations en les notant. L'écriture des *Essais* lui a donné le contrôle de lui-même.

11

La bonne foi

Au moment de publier les deux premiers livres des *Essais*, en 1580, Montaigne les fit précéder, suivant l'usage, d'une importante adresse « Au lecteur » :

« C'est ici un livre de bonne foi, lecteur. Il t'avertit dès l'entrée, que je ne m'y suis proposé aucune fin, que domestique et privée : je n'y ai eu nulle considération de ton service, ni de ma gloire : mes forces ne sont pas capables d'un tel dessein » (53).

Sans doute se pliait-il à la convention de la préface. Celle-ci prend volontiers la forme d'une profession d'humilité et l'auteur s'y présente sous le meilleur jour à ses lecteurs. Mais Montaigne jouait aussi avec la tradition et la subvertissait en suggérant la grande originalité de son entreprise.

D'emblée, à l'orée de son livre, il met en avant la qualité humaine essentielle sur laquelle il insistera d'un bout à l'autre des *Essais*, à savoir la *foi*, la *bonne foi*. C'est bien la seule vertu qu'il reconnaisse en lui ; elle est à ses yeux capitale, indispensable au fondement de tous les rapports humains. Il s'agit de la *fides* latine, qui signifie non seulement la foi, mais aussi la fidélité, c'est-à-dire le respect de la foi donnée, à la base de toute confiance. Foi, fidélité, confiance, et encore confidence, c'est tout un : mon engagement vis-à-vis de l'autre, comme on donne parole, comme on s'engage à tenir parole.

Et la bonne foi, la *bona fides* que promet Montaigne, c'est l'absence de malice, de ruse, de masque, de tromperie, de fraude, bref, l'honnêteté, la loyauté, l'assurance de conformité entre l'apparence et l'être, la chemise et la peau. À l'homme de bonne foi, au livre de bonne foi, vous pouvez faire confiance, vous ne serez pas abusé.

Montaigne veut établir avec son lecteur une relation de confiance, comme il s'est toujours comporté dans la vie, dans l'action. Or, le fond d'un rapport de confiance, c'est l'absence d'intérêt, la gratuité. Montaigne n'entend ni instruire son lecteur, ni élever son propre monument, dans un livre qui n'est pas destiné à sortir du cercle des proches : « Je l'ai voué à la commodité particulière de mes parents et amis » (53), dit-il, afin qu'on se souvienne de lui après sa mort et le retrouve dans son livre. C'est pourquoi il s'y présente sans ornements :

« Si c'eût été pour rechercher la faveur du monde, je me fusse paré de beautés empruntées. Je veux qu'on m'y voie en ma façon simple, naturelle et ordinaire, sans étude et artifice : car c'est moi que je peins » (53).

Si les convenances l'avaient permis, comme les Indiens du Brésil, il se serait « très volontiers peint tout entier, et tout nu ».

Le livre se présente comme un autoportrait, même si tel n'était pas le projet initial de Montaigne, quand il s'était retiré dans ses terres. Il ne se peint pas dans les chapitres les plus anciens, mais il en est venu peu à peu à l'étude de soi comme condition de la sagesse, puis à la peinture de soi comme condition de la connaissance de soi. L'exigence de l'autoportrait, c'est la forme qu'a prise pour lui l'instruction de Socrate : « Connais-toi toi-même. »

Mais si le livre a été un exercice spirituel, une sorte d'examen de conscience, s'il ne vise

ni la gloire de l'auteur ni l'instruction du lecteur, quel besoin de le rendre public, de le livrer
au lecteur ? Montaigne le concède : « Ainsi,
Lecteur, je suis moi-même la matière de mon
livre : ce n'est pas raison que tu emploies ton
loisir en un sujet si frivole et si vain » (53). Il
fait mine d'écarter son lecteur, il le provoque :
passe ton chemin, ne perds pas ton temps à me
lire. Il n'ignore pas qu'il n'y a pas de meilleure
façon de le tenter.

12

L'assiette

Il faut se représenter Montaigne à cheval, d'abord parce que c'est ainsi qu'il se déplaçait autour de chez lui, entre ses terres et Bordeaux, plus loin en France, à Paris, Rouen ou Blois, et lors de son grand voyage de 1580, en Suisse, en Allemagne, jusqu'à Rome, mais aussi parce qu'il ne se sentait nulle part mieux qu'à cheval, parce que c'était là qu'il trouvait son équilibre, son assiette :

« [...] le voyage me semble un exercice profitable. L'âme y a une continuelle exercitation, à remarquer les choses inconnues et nouvelles. Et je ne sache point meilleure école, comme j'ai dit souvent, à façonner la vie, que de lui proposer incessamment la diversité de tant d'autres vies, fantaisies, et usances : et lui faire goûter une si perpétuelle variété de formes de notre nature. Le corps n'y est ni oisif ni travaillé : et cette modérée agitation le met en haleine. Je me tiens à cheval sans démonter, tout coliqueux que je suis, et sans m'y ennuyer, huit et dix heures » (III, 9, 1519).

D'abord, le voyage permet de rencontrer la diversité du monde, et Montaigne ne conçoit pas de meilleure éducation ; le voyage illustre la richesse de la nature, prouve la relativité des coutumes et des croyances, dérange les certitudes ; bref, le voyage enseigne le scepticisme, qui est sa doctrine fondamentale.

Ensuite, Montaigne trouve un plaisir physique particulier à la promenade à cheval, laquelle allie le mouvement et la stabilité, donne au corps une balance, un rythme favorable à la méditation. Le cheval libère du travail sans livrer à l'oisiveté ; il rend disponible à la rêverie. L'équitation lui procure une « agitation modérée », belle alliance de termes pour désigner une sorte d'état intermédiaire et idéal. Aristote pensait en marchant et enseignait en déambulant ; Montaigne trouve ses idées en cavalant ou en chevauchant. Il en oublie même sa gravelle, les cailloux de ses reins et de sa vessie.

Comme à son habitude, il admet pourtant

que son goût du voyage, notamment à cheval, peut aussi être interprété comme une marque d'indécision et d'impuissance :

« Je sais bien qu'à le prendre à la lettre, ce plaisir de voyager, porte témoignage d'inquiétude et d'irrésolution. Aussi sont-ce nos maîtresses qualités, et prédominantes. Oui ; je le confesse : Je ne vois rien seulement en songe, et par souhait, où je me puisse tenir : La seule variété me paie, et la possession de la diversité : au moins si quelque chose me paie. À voyager, cela même me nourrit, que je me puis arrêter sans intérêt : et que j'ai où m'en divertir commodément » (1540).

Trop aimer le voyage, c'est se montrer incapable de s'arrêter, se décider, se fixer ; c'est donc manquer d'aplomb, préférer l'inconstance à la persévérance. En cela, le voyage est pour Montaigne une métaphore de la vie. Il vit comme il voyage – sans but, ouvert aux sollicitations du monde : « Ceux qui courent un bénéfice, ou un lièvre, ne courent pas. [...] Et le voyage de ma vie se conduit de même » (1525).

Si bien que s'il lui était donné de choisir sa mort, « ce serait, dit-il, plutôt à cheval, que dans un lit » (1526). Mourir à cheval, en voyage, loin de chez lui et des siens, Montaigne en rêvait. La vie, la mort à cheval représentent parfaitement sa philosophie.

13

La librairie

La tour de Montaigne est l'une des plus émouvantes maisons d'écrivain à visiter en France – à Saint-Michel-de-Montaigne, en Dordogne, près de Bergerac. Cette grosse tour ronde du XVIe siècle, c'est tout ce qu'il reste du château édifié par son père, Pierre de Montaigne, qui a brûlé à la fin du XIXe siècle. Montaigne y passait le plus de temps qu'il pouvait, s'y retirait pour lire, méditer, écrire ; sa bibliothèque était son refuge contre la vie domestique et civile, contre l'agitation du monde et les violences du siècle.

« Chez moi, je me détourne un peu plus souvent à ma librairie, d'où, tout d'une main, je commande mon ménage : Je suis sur l'entrée ; et vois sous moi, mon jardin, ma basse-cour, ma cour, et dans la plupart des membres de ma maison. Là je feuillette à cette heure un livre, à cette heure un autre, sans ordre et sans dessein, à pièces décousues : Tantôt je rêve, tantôt j'enregistre et dicte, en me promenant, mes songes que voici. Elle est au troisième étage d'une tour. Le premier, c'est ma chapelle, le second une chambre et sa suite, où je me couche souvent, pour être seul. Au-dessus, elle a une grande garde-robe. C'était au temps passé, le lieu plus inutile de ma maison. Je passe là et la plupart des jours de ma vie, et la plupart des heures du jour. Je n'y suis jamais la nuit » (III, 3, 1294).

De cette tour d'angle, Montaigne dominait sa propriété, suivait de haut et de loin les activités de sa maisonnée, mais surtout il s'y cachait pour se retrouver, pour « être à soi », comme il dit, dans le « giron » de ses livres. Cette librairie est célèbre pour les nombreuses sentences grecques et latines qu'il avait fait inscrire sur ses poutres après sa retraite de 1571. Elles témoignent de l'étendue de ses lectures – sacrées et profanes – et de sa philosophie désabusée. Sur ces solives, l'Ecclésiaste, *Per omnia vanitas*, « Tout est vanité », combinant la leçon de la Bible et la sagesse de la philosophie grecque, résume au mieux sa conception de la vie.

Touchante est encore sa façon de présenter ses occupations comme si elles comptaient pour rien : feuilleter un livre, et non pas lire ; dicter ses songes, et non pas écrire ; tout cela sans projet, sans suite dans les idées. On nous dit que la lecture linéaire, prolongée, continue – à laquelle nous avons été initiés –, disparaît dans le monde numérique. Or, Montaigne défendait déjà – ou encore – une lecture versatile, papillonnante, distraite, une lecture de caprice et de braconnage, sautant sans méthode d'un livre à l'autre, prenant son bien où elle le trouvait, sans trop se soucier des œuvres auxquelles il empruntait pour garnir son propre livre. Celui-ci, Montaigne y insiste, est le produit de la rêverie, non d'un calcul.

Un sentiment de fort bonheur colore les moments de loisir studieux que Montaigne passait dans sa librairie. Un seul perfectionnement aurait accru son bien-être : une terrasse lui aurait permis de penser en marchant ; mais il recula devant la dépense.

« [...] si je ne craignais non plus le soin que la dépense, le soin qui me chasse de toute besogne : j'y pourrais facilement coudre à chaque côté une galerie de cent pas de long, et douze de large, à plain pied : ayant trouvé tous les murs montés, pour autre usage, à la hauteur qu'il me faut. Tout lieu retiré requiert un promenoir. Mes pensées dorment, si je les assis. Mon esprit ne va pas seul, comme si les jambes l'agitent. Ceux qui étudient sans livre, en sont tous là » (1294).

Toujours cette idée qu'on ne peut bien penser qu'en mouvement.

14

Aux lectrices

Montaigne a choisi d'écrire les *Essais* en français. Dans les années 1570, une telle décision n'allait pas de soi. L'écrivain s'en explique après coup, en 1588, dans le chapitre « De la vanité » :

« J'écris mon livre à peu d'hommes, et à peu d'années. Si c'eût été une matière de durée, il l'eût fallu commettre à un langage plus ferme : Selon la variation continuelle, qui a suivi le nôtre jusques à cette heure, qui peut espérer que sa forme présente soit en usage, d'ici à cinquante ans ? Il écoule tous les jours de nos mains : et depuis que je vis, s'est altéré de moitié. Nous disons, qu'il est à cette heure parfait. Autant en dit du sien, chaque siècle » (III, 9, 1532).

Montaigne a rejeté le latin, la langue savante, celle de la philosophie et de la théologie, au profit de la langue vulgaire, celle de tous les jours. Cependant, en renonçant à la langue monumentale des Anciens, il livre ses réflexions dans un parler instable, changeant, périssable, avec le risque de devenir bientôt illisible.

Le propos ne semble pas relever de la fausse modestie : je suis dépourvu de toute prétention ; je n'écris pas pour les siècles à venir, mais pour mes proches. L'excuse n'a pas l'air conventionnelle, car Montaigne a vu sa langue se transformer au cours de sa vie, a fait l'expérience de sa mobilité. Il prévoit que les mots dans lesquels il s'exprime seront bientôt méconnaissables. Stendhal, qui faisait en 1830 le pari qu'on le lirait en 1880 ou en 1930, après un demi-siècle ou même un siècle, plaçait ses espoirs de postérité dans la pérennité du français. Rien de tel chez Montaigne, qui parle sérieusement lorsqu'il conclut de l'évolution du français durant sa vie à l'improbabilité qu'on le lise longtemps. Il s'est heureusement trompé sur ce point.

Or, il aurait pu choisir le latin d'autant plus aisément qu'il l'avait appris dès sa petite enfance et que c'était pour ainsi dire sa langue maternelle. Son père voulait qu'il connût parfaitement cette langue :

« [...] l'expédient [qu'il] y trouva, ce fut qu'en nourrice, et avant le premier dénouement de ma langue, il me donna en charge à un Allemand, qui depuis est mort fameux médecin en France, du tout ignorant de notre langue, et très bien versé en la latine. [...] Quant au reste de sa maison, c'était une règle inviolable, que ni lui-même, ni ma mère, ni valet, ni chambrière, ne parlaient en ma compagnie, qu'autant de mots de Latin que chacun avait appris pour jargonner avec moi » (I, 25, 267-268).

Si Montaigne, qui a parlé le latin avant le français, écrit en français, c'est parce que cette langue est celle du lecteur qu'il souhaite. La langue dans laquelle il écrit est celle du lecteur pour qui il écrit.

Dans « Sur des vers de Virgile », abordant un sujet audacieux, sa sexualité déclinante, il évoque ses lecteurs, ou plutôt ses lectrices, qui le liront en cachette :

« Je m'ennuie que mes Essais servent les dames de meuble commun seulement, et de meuble de salle. Ce chapitre me fera du cabinet. J'aime leur commerce un peu privé : le public est sans faveur et saveur » (III, 5, 1324).

Si Montaigne a décidé d'écrire en français, c'est bien parce que ses lecteurs rêvés sont des femmes, moins familières des langues anciennes que les hommes.

Vous direz qu'il n'hésite pas à truffer son livre de citations des poètes latins, en particulier dans « Sur des vers de Virgile », pour dire le plus intime de lui-même. C'est vrai : il n'était pas à une contradiction près.

15

Guerre et paix

De nombreuses notations des *Essais* nous donnent une idée de la vie quotidienne en temps de guerre, de guerre civile, la pire des guerres, où l'on n'est jamais sûr de se réveiller demain en homme libre et quand on abandonne son sort au hasard, comptant sur la chance pour survivre. Ainsi, dans le chapitre « De la vanité » :

« Je me suis couché mille fois chez moi, imaginant qu'on me trahirait et assommerait cette nuit-là : composant avec la fortune, que ce fût sans effroi et sans langueur : Et me suis écrié après mon patenôtre, *Impius haec tam culta novalia miles habebit ?* [Ces terres que j'ai tant cultivées, c'est donc un soldat impie qui les aura ? Virgile] » (III, 9, 1514).

Avant de s'endormir, Montaigne confie son sort conjointement à la divinité païenne de la

Fortune et au Dieu chrétien du Notre Père, sans omettre de citer Virgile pour les réconcilier. Il sait qu'il ne contrôle pas son destin, qu'il ne dépend pas de lui que sa maison soit conservée. Or, constate-t-il, on s'habitue à la guerre comme à tout :

« Quel remède ? c'est le lieu de ma naissance, et de la plupart de mes ancêtres : ils y ont mis leur affection et leur nom : Nous nous durcissons à tout ce que nous accoutumons. Et à une misérable condition, comme est la nôtre, ç'a été un très favorable présent de nature que l'accoutumance, qui endort notre sentiment à la souffrance de plusieurs maux. Les guerres civiles ont cela de pire que les autres guerres, de nous mettre chacun en échauguette [sentinelle, guet] en sa propre maison. […] C'est grande extrémité, d'être pressé jusques dans son ménage et repos domestique. Le lieu où je me tiens, est toujours le premier et le dernier à la batterie de nos troubles, et où la paix n'a jamais son visage entier » (1514-1515).

Montaigne revient souvent sur ce sentiment d'insécurité qu'il éprouve même chez lui, dans l'abri fragile de sa demeure, ainsi que sur la manière dont nous nous habituons à vivre dans l'incertitude. Cette banalité de la guerre apparaît un peu partout dans les *Essais*, l'ordinaire de la guerre, pour ainsi dire, non pas les combats, mais le reste, les arrangements de tous les jours, pour vivre quand même, par exemple ceux des paysans, aussi sages devant les désastres de la guerre que face aux ravages de la peste.

De nombreux petits chapitres anciens des *Essais* relèvent d'un art de la guerre – « Si le chef d'une place assiégée, doit sortir pour parlementer » (I, 5), « L'heure des parlements dangereuse » (I, 6) –, mais, comme on avance dans le livre, on y trouve surtout, élaborée par petites touches, une éthique de la vie quotidienne en temps de guerre : comment se conduire avec les amis et les ennemis ? Comment conserver son honnêteté dans les circonstances les plus hostiles ? Comment rester fidèle à soi quand tout est sans cesse bouleversé autour de soi ? Comment préserver sa liberté de mouvement ? Les *Essais* donnent une foule de conseils épars, résumés dans cette belle proposition : « Toute ma petite prudence, en ces guerres civiles où nous sommes, s'emploie à ce, qu'elles n'interrompent ma liberté d'aller et venir » (III, 13, 1668-1669). C'est dans le chapitre « De l'expérience », le dernier des *Essais*, résumant leur leçon. Comment conserver sa liberté en temps de guerre, car, pour Montaigne, il n'y a pas de bien supérieur à la liberté ?

Ainsi, les *Essais* proposent un art non tant de la guerre ou de la paix, que de la paix en temps de guerre, de la vie en paix durant la pire des guerres.

16

L'ami

La grande affaire dans la vie de Montaigne a été la rencontre d'Étienne de La Boétie, en 1558, et l'amitié qui s'en est suivie, jusqu'à la mort de La Boétie en 1563. Quelques années d'intimité, puis une perte dont Montaigne ne s'est jamais remis. Il relata l'agonie de son ami dans une longue et émouvante lettre à son père. Plus tard, le premier livre des *Essais* fut conçu comme un monument à l'ami disparu, dont le *Discours de la servitude volontaire* devait se trouver au milieu, au « plus bel endroit », tandis que les pages de Montaigne n'auraient été que des « grotesques », des peintures décoratives servant à rehausser le chef-d'œuvre (I, 27, 282). S'il a dû renoncer à ce projet, c'est que le discours de La Boétie – son plaidoyer pour la liberté contre les tyrans – avait été publié sous la forme d'un pamphlet protestant. Montaigne lui a substitué un éloge de l'amitié dans la grande tradition d'Aristote, Cicéron et Plutarque.

« [...] ce que nous appelons ordinairement amis et amitiés, ce ne sont qu'accointances et familiarités nouées par quelque occasion ou commodité, par le moyen de laquelle nos âmes s'entretiennent. En l'amitié de quoi je parle, elles se mêlent et confondent l'une en l'autre, d'un mélange si universel, qu'elles effacent, et ne retrouvent plus la couture qui les a jointes. Si on me presse de dire pourquoi je l'aimais, je sens que cela ne se peut exprimer, qu'en répondant : Parce que c'était lui, parce que c'était moi » (I, 27, 290-291).

Montaigne oppose l'amitié, plus tempérée et constante, à l'amour pour les femmes, plus fiévreux et volage ; il la distingue aussi du mariage, assimilé à un marché, restreignant la liberté et l'égalité. Cette méfiance à l'égard des femmes, on la retrouvera dans « Des trois commerces », où il compare l'amour et l'amitié à la lecture. L'amitié, c'est pour lui le seul lien vraiment libre entre deux individus, lien inconcevable sous une tyrannie. C'est un sentiment sublime, du moins non pas l'amitié ordinaire, mais l'amitié idéale qui unit deux grandes âmes au point qu'on ne peut plus les distinguer.

Il reste pour Montaigne un mystère inexplicable de son amitié avec La Boétie : « Parce que c'était lui, parce que c'était moi. » Montaigne a mis longtemps à frapper cette formule mémorable, absente des éditions de 1580 et 1588 des *Essais*, lesquelles s'arrêtaient au constat de l'énigme. Il a d'abord ajouté dans la marge de son exemplaire des *Essais*, « parce que c'était lui », puis, dans un second temps et d'une autre encre, « parce que c'était moi ». Pour tenter d'expliquer leur coup de foudre :

« Il y a au-delà de tout mon discours, et de ce que j'en puis dire particulièrement, je ne sais quelle force inexplicable et fatale, médiatrice de cette union. Nous nous cherchions avant que de nous être vus, et par des rapports que nous oyions l'un de l'autre : qui faisaient en notre affection plus d'effort, que ne porte la raison des rapports [plus d'effet que l'ouï-dire habituel] : je crois par quelque ordonnance du ciel. Nous nous embrassions par nos noms. Et à notre première rencontre, qui fut par hasard en une grande fête et compagnie de ville, nous nous trouvâmes si pris, si connus, si obligés entre nous, que rien dès lors ne nous fut si proche, que l'un à l'autre » (291).

Montaigne et La Boétie étaient prédestinés l'un à l'autre avant de se connaître. Sans doute Montaigne idéalise-t-il leur amitié. Bien plus tard, songeant manifestement à son ami, il reconnaîtra qu'il n'aurait pas écrit les *Essais* s'il avait conservé un ami à qui écrire des lettres (I, 39, 391). Nous devons les *Essais* à La Boétie, à sa présence puis à son absence.

17

Le Romain

Montaigne est un homme de la Renaissance, un familier d'Érasme, lequel, animé par une belle foi humaniste, croyait à la supériorité de la plume sur l'épée et plaidait, dans la *Querela pacis*, pour que les lettres fassent taire les armes et apportent la paix au monde. Rien de tel chez Montaigne, aussi sceptique sur le pouvoir des lettres que sur les bienfaits de l'instruction du prince chrétien, ou sur la faculté pour un négociateur d'obtenir la paix grâce à sa force de persuasion. Son expérience ne l'encourage pas à penser, suivant le lieu commun, que l'épée cédera à la plume, ou à la toge – *Cedant arma togae*, comme le disait Cicéron dans le *De officiis*.

C'est que Montaigne se méfie des mots et de la rhétorique. À la fin du chapitre « Du pédantisme », il oppose les deux cités grecques,

Athènes, où l'on apprécie les beaux discours, et Sparte, où l'on préfère l'action à la parole. Entre les deux, Montaigne prend fermement le parti de Sparte, reprenant à son compte un autre lieu commun, celui de l'affaiblissement des individus et des sociétés par la culture :

« [...] l'étude des sciences amollit et efféminé les courages, plus qu'il ne les fermit et aguerrit. Le plus fort état, qui paraisse pour le présent au monde, est celui des Turcs, peuples également duits [formés] à l'estimation des armes, et mépris des lettres. Je trouve Rome plus vaillante avant qu'elle fût savante » (I, 24, 221).

Pas de doute : Montaigne associe la décadence de Rome au développement des arts, des sciences et des lettres, au raffinement de sa civilisation.

« Les plus belliqueuses nations en nos jours, sont les plus grossières et ignorantes. Les Scythes, les Parthes, Tamburlan [Tamerlan], nous servent à cette preuve. Quand les Gots ravagèrent la Grèce, ce qui sauva toutes les librairies d'être passées au feu, ce fut un d'entre eux, qui sema cette opinion, qu'il fallait laisser ce meuble entier aux ennemis : propre à les détourner de l'exercice militaire, et amuser à des occupations sédentaires et oisives. Quand notre Roi, Charles huitième, quasi sans tirer l'épée du fourreau, se vit maître du Royaume de Naples, et d'une bonne partie de la Toscane, les seigneurs de sa suite, attribuèrent cette inespérée facilité de conquête, à ce que les Princes et la noblesse d'Italie s'amusaient plus à se rendre ingénieux et savants, que vigoureux et guerriers » (221-222).

Montaigne accumule les exemples – les Turcs, les Goths, les Français sous Charles VIII – montrant que la force d'un État est inversement proportionnelle à sa culture, et qu'un État trop savant est menacé de ruine. Montaigne n'est pas un humaniste naïf, enthousiaste de la République des lettres ; il reste un homme d'action, sensible à l'amoindrissement des nations par les lettres. Il est en somme plus romain qu'humaniste, allant parfois jusqu'à faire l'éloge de l'ignorance archaïque : « La vieille Rome me semble en avoir bien porté de plus grande valeur, et pour la paix, et pour la guerre, que cette Rome savante, qui se ruina soi-même » (II, 12, 760).

Ainsi, nulle complaisance excessive pour les lettres n'est à trouver chez Montaigne, mais le maintien aristocratique de la supériorité des

armes, de « la science d'obéir et de commander » (I, 24, 220). L'art de la paix, ce n'est pas
la rhétorique, mais la force qui dissuade plus
qu'elle ne persuade.

18

À quoi bon changer ?

Montaigne se méfiait de la nouveauté. Il dou-
tait qu'elle pût améliorer l'état du monde. On
ne trouvera pas dans les *Essais* les prémices de
la doctrine du progrès qui fleurira au siècle des
Lumières. Tout projet de réforme est dénoncé
dans le chapitre « De la vanité » :

« Rien ne presse un état que l'innovation : le
changement donne seul forme à l'injustice, et à
la tyrannie. Quand quelque pièce se démanche,
on peut l'étayer : on peut s'opposer à ce, que
l'altération et corruption naturelle à toutes
choses, ne nous éloigne trop de nos commencements et principes : Mais d'entreprendre
à refondre une si grande masse, et à changer
les fondements d'un si grand bâtiment, c'est
à faire à ceux qui pour décrasser effacent : qui
veulent amender les défauts particuliers, par

une confusion universelle, et guérir les maladies par la mort » (III, 9, 1495-1496).

Bien sûr, sous le nom d'innovation ou de nouvelleté, Montaigne pense avant tout à la Réforme protestante et aux guerres civiles qui ont suivi ; il pense aussi à la découverte de l'Amérique et au déséquilibre qu'elle a créé dans l'univers, accélérant sa ruine. Pour lui, l'Âge d'or est derrière nous, dans les « commencements et principes », et tout changement est périlleux, vain. « Un tiens vaut mieux que deux tu l'auras », ou même : « Le pire est toujours certain. »

Prétendre transformer l'état des choses, c'est prendre le risque de l'aggraver au lieu de l'améliorer. Le scepticisme de Montaigne le conduit au conservatisme, à la défense des coutumes et des traditions, aussi arbitraires les unes que les autres, mais qu'il ne sert à rien de renverser si l'on n'est pas sûr de pouvoir faire mieux. Dès lors, à quoi bon innover ? C'est pourquoi Montaigne n'a pas apprécié que la dissertation de son ami La Boétie sur la « servitude volontaire », avançant que la désobéissance civile suffirait à faire tomber un monarque, ait été détournée en un pamphlet antimonarchiste. Comme tout mélancolique,

Montaigne magnifie les « effets pervers » de toute réforme, comme on dit aujourd'hui.

Il exagère sans doute en faisant du changement le seul responsable de l'injustice et de la tyrannie dans le monde, mais il oppose avec conviction la réparation ou la restauration de l'état ancien, à l'innovation ou à la refondation radicale. Aucune religion du nouveau chez lui, bien au contraire. Une fois de plus, la métaphore organique de l'État, vu comme le corps humain, suivant l'image du microcosme et du macrocosme, lui sert à penser la société. Or Montaigne se méfie plus que tout de la médecine. Les réformateurs sont comme les médecins qui provoquent votre mort sous prétexte de vous soigner.

« Le monde est inepte à se guérir : Il est si impatient de ce qui le presse, qu'il ne vise qu'à s'en défaire, sans regarder à quel prix. Nous voyons par mille exemples, qu'il se guérit ordinairement à ses dépens : la décharge du mal présent, n'est pas guérison, s'il n'y a en général amendement de condition » (1496).

Les maladies sont notre état naturel. Il faut apprendre à vivre avec elles sans prétendre les éradiquer. Montaigne en veut aux agitateurs, à tous ces apprentis sorciers qui promettent au peuple des lendemains meilleurs. Renvoyant la Réforme protestante et la Ligue catholique dos à dos, Montaigne, qui n'est pas un dogmatique, mais un juriste, un politique, met la stabilité de l'État et l'État de droit au-dessus des querelles doctrinales. Cela fait de lui un légitimiste, voire un immobiliste. Les humanistes ne sont pas encore des hommes des Lumières, et Montaigne n'est pas un moderne.

19

L'autre

Le dialogue entre Montaigne et les autres, comme un jeu de miroirs, est l'un des aspects les plus originaux des *Essais*. Si Montaigne se regarde dans les livres, s'il les commente, ce n'est pas pour se faire valoir, mais parce qu'il se reconnaît en eux. Il l'observe dans le chapitre « De l'institution des enfants » : « Je ne dis les autres, sinon pour d'autant plus me dire » (I, 25, 227).

Montaigne rappelle par là que les autres lui procurent un détour vers soi. S'il les lit et les cite, c'est qu'ils lui permettent de mieux se connaître. Mais le retour sur soi est aussi un détour vers l'autre, la connaissance de soi prélude à un retour à l'autre. Ayant appris grâce aux autres à se connaître, constate-t-il, il connaît mieux les autres ; il les comprend mieux qu'ils ne se comprennent eux-mêmes :

« Cette longue attention que j'emploie à me considérer, me dresse à juger aussi passablement des autres : Et est peu de choses, de quoi je parle plus heureusement et excusablement. Il m'advient souvent, de voir et distinguer plus exactement les conditions de mes amis qu'ils ne font eux-mêmes » (III, 13, 1675).

La fréquentation de l'autre permet d'aller à la rencontre de soi, et la connaissance de soi permet de revenir à l'autre. Montaigne, bien avant les philosophes modernes, avait perçu la dialectique du soi et de l'autre : il faut se voir *Soi-même comme un autre*, dira Paul Ricœur, pour vivre une vie morale. La retraite de Montaigne n'a jamais été un refus des autres, mais un moyen de mieux revenir aux autres. Il n'y a pas eu deux parties dans sa vie, une première active et une seconde oisive, mais des intermittences, des moments de retraite et de méditation, suivis de retours réfléchis à la vie civile et à l'action publique.

C'est ainsi que nous sommes tentés d'entendre cette superbe phrase du dernier chapitre des *Essais* : « La parole est moitié à celui qui parle, moitié à celui qui l'écoute » (III, 13, 1694). Suivant la complémentarité du moi et de l'autre dont Montaigne fait souvent l'éloge, la parole, à condition d'être une parole vraie, est partagée entre les interlocuteurs, et l'autre parle à travers moi.

Soyons toutefois prudents dans l'interprétation de cette belle pensée et gardons-nous de l'idéaliser. La suite pourrait en effet donner un sens moins amical, moins coopératif, et plus agressif, plus compétitif, au jeu de la parole : « Cettui-ci se doit préparer à la recevoir, selon le branle [mouvement] qu'elle prend. Comme entre ceux qui jouent à la paume, celui qui soutient, se démarche et s'apprête, selon qu'il voit remuer celui qui lui jette le coup, et selon la forme du coup » (III, 13, 1694-1695).

Montaigne compare la conversation au jeu de paume, donc à une joute, un affrontement où l'un gagne et l'autre perd, où ils sont des adversaires, des rivaux. Ne nous méprenons donc pas. Il ne s'agit pas pour l'un de se mettre à la portée de l'autre, mais pour l'autre de compter avec l'un. Dans le chapitre « De l'art de conférer », Montaigne concède la peine qu'il a de donner raison à un interlocuteur. Mais pour que l'échange soit beau, comme au jeu de paume, chacun doit y mettre du sien.

Ainsi, Montaigne balance entre une

conception de la parole comme échange ou comme duel. C'est pourtant la confiance qui l'emporte, par exemple dans cette généreuse sentence du chapitre « De l'utile et de l'honnête » : « Un parler ouvert, ouvre un autre parler, et le tire hors, comme fait le vin et l'amour » (III, 1, 1239).

20

Du surpoids

D'une édition à l'autre, les *Essais* ont beaucoup grossi ; leur volume s'est très amplifié. En se relisant, Montaigne n'a jamais cessé, jusqu'à sa mort, d'ajouter des citations et des développements dans les marges de son livre. Il commente cette pratique dans le chapitre « De la vanité », justement dans une addition tardive du troisième livre :

« Mon livre est toujours un : sauf qu'à mesure, qu'on se met à le renouveler, afin que l'acheteur ne s'en aille les mains du tout vides, je me donne loi d'y attacher (comme ce n'est qu'une marqueterie mal jointe) quelque emblème supernuméraire. Ce ne sont que surpoids, qui ne condamnent point la première forme, mais donnent quelque prix particulier à chacune des suivantes, par une petite subtilité ambitieuse » (III, 9, 1504-1505).

Montaigne jette un regard rétrospectif sur son œuvre ; son ironie est manifeste : il parle de ses ajoutages comme s'il était un boutiquier, et de son lecteur comme d'un client qu'il chercherait à attirer en enrichissant les articles qu'il met en vente, en renouvelant sa marchandise. Montaigne se moque de lui-même et de son œuvre en se comparant à un artisan : son livre n'est d'ailleurs qu'un assemblage de morceaux juxtaposés, une mosaïque de pièces disparates, une bigarrure que rien n'empêche d'étendre indéfiniment, selon les occasions.

« Emblème supernuméraire », « petite subtilité ambitieuse » : les termes de Montaigne pour désigner ce « surpoids » sont ambigus, un peu précieux, à la fois concrets et abstraits. Ils témoignent quand même de son incertitude sur le sens de cette écriture en expansion, sujet sur lequel il revient souvent. Il ajoute, dit-il ailleurs, mais il ne corrige point (II, 37, 1181), ce qui n'est pas tout à fait vrai, mais qui prévient le lecteur qu'il pourra tomber non seulement sur des compléments hétéroclites, mais aussi sur des rallonges dissonantes ou contradictoires. Les ajoutages sont fortuits ; ils dépendent du hasard d'une rencontre faite dans un livre ou dans la vie. Il ne faudrait surtout pas les prendre pour une amélioration ou une évolution, ni de l'homme ni de l'œuvre, comme Montaigne prend soin de le préciser :

« Mon entendement ne va pas toujours avant, il va à reculons aussi : Je ne me défie guère moins de mes fantaisies, pour être secondes ou tierces, que premières : ou présentes, que passées. Nous nous corrigeons aussi sottement souvent, comme nous corrigeons les autres. Je suis envieilli de nombre d'ans, depuis mes premières publications, qui furent l'an mille cinq cent quatre-vingts. Mais je fais doute que je sois assagi d'un pouce. Moi à cette heure, et moi tantôt, sommes bien deux. Quand meilleur, je n'en puis rien dire » (III, 9, 1505).

Le scepticisme de Montaigne est extrême. La première rédaction des *Essais* n'était pas inférieure ; l'âge ne contribue pas à la sagesse ; les nouveaux développements du livre ne sont pas plus sûrs. Et le paradoxe est patent : « Moi à cette heure, et moi tantôt, sommes bien deux », soutient-il, mais « Mon livre est toujours un », maintient-il. C'est là une contradiction qu'il assume : je suis sans doute inconstant, je change sans cesse, mais je me reconnais dans la diversité et la totalité de mes actes et de mes pensées. Montaigne en arrivera ainsi peu à peu à s'identifier parfaitement à son livre : « Je n'ai pas plus fait mon livre, que mon livre m'a fait. Livre consubstantiel à son auteur » (II, 18, 1026) ; et « qui touche l'un, touche l'autre » (III, 2, 1258). L'homme et le livre ne font qu'un.

21

La peau et la chemise

Montaigne a été un homme politique, un homme engagé – je l'ai déjà rappelé –, mais il a toujours veillé à ne pas trop se prendre au jeu, à garder du recul, à se regarder faire comme s'il était au spectacle. C'est ce qu'il explique dans le chapitre « De ménager sa volonté », au troisième livre des *Essais*, après son expérience de maire de Bordeaux :

« La plupart de nos vacations sont farcesques. *Mundus universus exercet histrionam* [Le monde entier joue la comédie. Pétrone]. Il faut jouer dûment notre rôle, mais comme rôle d'un personnage emprunté. Du masque et de l'apparence il n'en faut pas faire une essence réelle, ni de l'étranger le propre. Nous ne savons pas distinguer la peau de la chemise.

C'est assez de s'enfariner le visage, sans s'enfariner la poitrine » (III, 10, 1572-1573).

Le monde est un théâtre : Montaigne file ici
un lieu commun, familier depuis l'Antiquité.
Nous sommes des acteurs, des masques ; ne
nous prenons donc pas pour des personnages.
Agissons avec conscience ; remplissons nos
devoirs ; mais ne confondons pas nos actions
et notre être ; maintenons de la marge entre
notre for intérieur et nos affaires.

Montaigne nous tient-il une leçon d'hypocrisie ? Adolescent, je le pensais en lisant les
Essais la première fois et me méfiais de ce genre
de distinction subtile. Les jeunes gens rêvent
de sincérité, d'authenticité, et donc d'une parfaite identité, d'une transparence idéale, entre
l'être et le paraître. Ainsi, Hamlet dénonce les
manières de la cour et refuse tout compromis.
Il s'écrie devant la Reine, sa mère : « *I know not
"seems"* » – « Je ne connais pas les semblants »
(dans la traduction du fils Hugo).

Puis l'on découvre qu'il vaut mieux que les
puissants ne se prennent pas trop au sérieux,
ne collent pas entièrement à leur fonction,
sachent garder un certain sens de l'humour, ou
de l'ironie. C'était un peu ce que le Moyen Âge
avait théorisé dans la doctrine des deux corps

du roi : d'une part le corps politique et immortel, d'autre part le corps physique et mortel. Le souverain ne doit pas confondre sa personne et sa charge, mais il ne doit pas non plus trop douter de son emploi, au risque de compromettre son autorité, comme un autre héros de Shakespeare, Richard II, roi trop conscient de jouer un rôle et bientôt renversé.

Montaigne préfère avoir affaire à des hommes qui, pour le dire simplement, n'ont pas la grosse tête :

« J'en vois qui se transforment et se transsubstantient en autant de nouvelles figures, et de nouveaux êtres, qu'ils entreprennent de charges : et qui se prélatent jusques au foie et aux intestins, et entraînent leur office jusques en leur garde-robe. Je ne puis leur apprendre à distinguer les bonnetades qui les regardent, de celles qui regardent leur commission, ou leur suite, ou leur mule. *Tantum se fortunae permittunt, etiam ut naturam dediscant* [Ils se confient tant à la fortune qu'ils en oublient la nature. Quinte-Curce]. Ils enflent et grossissent leur âme, et leur discours naturel, selon la hauteur de leur siège magistral. Le Maire et Montaigne ont toujours été deux, d'une séparation bien claire » (1573).

Si Montaigne, une fois élu maire, n'a pas joué à l'Important – comme disait le philosophe Alain –, il n'en a pas moins exercé toutes les prérogatives de sa charge avec fermeté, contrairement à ce que l'on a pu laisser entendre en le prenant au mot. Nul éloge de l'hypocrisie quand il demande que l'on isole l'être du paraître, mais une exigence de lucidité et, avant Pascal, une mise en garde contre la duperie de soi-même.

22

La tête bien faite

Dans tout débat sur l'école, on ne tarde pas à convoquer Rabelais et Montaigne : Rabelais qui voulait, suivant la lettre de Pantagruel à son fils Gargantua, que celui-ci devînt un « abîme de science », et Montaigne qui préférait un homme à « la tête bien faite » plutôt que « bien pleine ». Voilà résumés, et opposés, les deux objectifs de toute pédagogie : d'une part, des *connaissances*, d'autre part, des *compétences*, pour employer le jargon d'aujourd'hui. Montaigne protestait déjà contre le bourrage de crâne scolaire dans les chapitres « Du pédantisme » et « De l'institution des enfants », au premier livre des *Essais* :

« De vrai le soin et la dépense de nos pères, ne vise qu'à nous meubler la tête de science : du jugement et de la vertu, peu de nouvelles.

Criez d'un passant à notre peuple : Ô le savant homme ! Et d'un autre, Ô le bon homme ! Il ne faudra pas à détourner les yeux et son respect vers le premier. Il y faudrait un tiers crieur : Ô les lourdes testes ! Nous nous enquérons volontiers, Sait-il du Grec ou du Latin ? écrit-il en vers ou en prose ? mais, s'il est devenu meilleur ou plus avisé, c'était le principal, et c'est ce qui demeure derrière » (I, 24, 208).

Montaigne fait le procès de l'enseignement de son époque. La Renaissance prétend avoir rompu avec l'obscurité du Moyen Âge et retrouvé les lettres anciennes, mais l'on continue de privilégier la quantité de l'instruction au détriment de la qualité de son assimilation. À la science pour la science, Montaigne oppose la sagesse. Il dénonce la perversité d'une éducation encyclopédique pour laquelle les connaissances deviennent un but en soi, alors que le savoir importe moins que ce que l'on en fait, le savoir-faire et le savoir-vivre. On respecte les hommes savants au lieu d'admirer les hommes sages. Montaigne enfonce le clou :

« Il fallait s'enquérir qui est mieux savant, non qui est plus savant. Nous ne travaillons qu'à remplir la mémoire, et laissons l'entendement et la conscience vide. Tout ainsi que les oiseaux vont quelquefois à la quête du grain, et le portent au bec sans le tâter, pour en faire becquée à leurs petits : ainsi nos pédants vont pillotant la science dans les livres, et ne la logent qu'au bout de leurs lèvres, pour la dégorger seulement, et mettre au vent » (208).

Je reviendrai sur la méfiance de Montaigne envers la mémoire. Il s'excuse souvent d'en être dépourvu, mais, au fond, il en est bien content, car la mémoire n'a rien d'un atout, quand elle sert à faire l'économie du jugement. Il compare la lecture, toute instruction, à la digestion. Les leçons, comme les aliments, ne doivent pas être goûtées du bout des lèvres seulement, et gobées toutes crues, mais mâchées lentement, ruminées dans l'estomac afin de nourrir de leur substance l'esprit et le corps. Sinon, on les régurgite comme une nourriture étrangère. L'éducation, selon Montaigne, vise l'appropriation des savoirs : l'enfant doit les faire siens, les transformer en son jugement.

Le débat sur la mission de l'école n'est pas clos. Mais, pour résumer les positions, il ne serait pas juste d'opposer trop vite le libéralisme de Montaigne à l'encyclopédisme de Rabelais. D'abord, si la lettre de Pantagruel à Gargantua proposait un programme exhaustif et excessif, c'est qu'il était destiné à un géant. Ensuite, la lettre se poursuivait par ce conseil que Montaigne n'aurait pas désavoué : « Science sans Conscience n'est que ruine de l'âme. » La conscience, c'est-à-dire l'honnêteté, la moralité, est bien le but dernier de tout enseignement. C'est ce qui reste quand on a digéré, quand on a presque tout oublié.

23

Un philosophe fortuit

Montaigne se méfiait de l'éducation trop scolaire – je viens de le rappeler. Suivant la grande polarité qui régit toute la pensée des *Essais*, l'opposition de la *nature* et de l'*art*, de la bonne nature et du mauvais artifice, la culture a de grandes chances d'éloigner de la nature au lieu de la révéler à elle-même. Aussi Montaigne rappelle-t-il volontiers que ses lectures ne l'ont pas détourné de sa propre nature, mais lui ont permis au contraire de la découvrir.

« Mes mœurs sont naturelles : je n'ai point appelé à les bâtir, le secours d'aucune discipline : Mais toutes imbéciles qu'elles sont, quand l'envie m'a pris de les réciter, et que pour les faire sortir en public, un peu plus décemment, je me suis mis en devoir de les assister, et de discours, et d'exemples : ç'a été merveille à moi-même, de les rencontrer par cas d'aventure, conformes à tant d'exemples et discours philosophiques. De quel régiment était ma vie, je ne l'ai appris qu'après qu'elle est exploitée et employée. Nouvelle figure : Un philosophe imprémédité et fortuit » (II, 12, 850).

Superbe formule que cette définition – dans l'« Apologie de Raymond Sebond » –, à la fois très modeste et très ambitieuse, d'une éthique personnelle. Montaigne nous dit deux choses capitales. Premièrement, qu'il s'est fait tout seul, que ses lectures, que les savoirs ne l'ont ni transformé ni abâtardi, que ses mœurs, c'est-à-dire son caractère, sa conduite, ses qualités morales, sont bien les siennes et n'ont pas été décalquées sur des modèles étrangers. Secondement, que quand on se met à écrire, à se raconter, à parler de soi, avec des exemples et des discours – c'est-à-dire des cas et des raisonnements sur ces cas –, on se reconnaît après coup dans les livres. Montaigne nous dit que c'est en s'écrivant, en se décrivant, qu'il a compris non seulement qui il était, mais de quel régiment, de quel groupe ou quelle école, il se sentait le plus proche. Bref, Montaigne n'a pas choisi de devenir stoïcien, sceptique ou épicurien – les trois philosophies auxquelles on l'associe souvent –, mais il a reconnu, une fois sa vie passée, que ses comportements avaient été naturellement conformes aux doctrines des uns ou des autres. Par hasard et de façon improvisée, sans projet ni délibération.

C'est pourquoi il serait erroné d'expliquer Montaigne par son appartenance à telle ou telle école philosophique de l'Antiquité. Montaigne hait l'autorité. S'il se réclame d'un auteur, c'est pour signaler une rencontre accidentelle ; et s'il passe sous silence le nom d'un auteur qu'il cite, c'est pour que son lecteur apprenne à se méfier de tout argument d'autorité, comme il le confie dans le chapitre « Des livres » :

« Je ne compte pas mes emprunts, je les pèse. Et si je les eusse voulu faire valoir par nombre, je m'en fusse chargé deux fois autant. Ils sont tous, ou fort peu s'en faut, de noms si fameux et anciens qu'ils me semblent se nommer assez sans moi. Ès raisons, comparaisons, arguments, si j'en transplante quelqu'un en mon solage, et confonds aux miens, à escient j'en cache l'auteur. [...] Je veux qu'ils donnent une nasarde à Plutarque sur mon nez, et qu'ils s'échaudent à injurier Sénèque en moi » (II, 10, 645-646).

Si Montaigne dissimule quelques-uns de

ses emprunts, c'est pour éviter que son lecteur ne s'incline devant le prestige des anciens, pour qu'il ose réfuter leur autorité comme il se permet de contester celle de Montaigne.

24

Une leçon tragique

Durant la révolte contre la gabelle, en Guyenne, après le rétablissement par Henri II de l'impôt sur le sel, Tristan de Moneins, lieutenant du roi de Navarre, envoyé à Bordeaux pour mettre de l'ordre, fut mis à mort par les émeutiers le 21 août 1548. Or Montaigne assista à cet événement mémorable ; son père, Pierre Eyquem, était alors jurat – magistrat municipal – ; il était lui-même un garçon de quinze ans.

« Je vis en mon enfance, un Gentilhomme commandant à une grande ville empressé à l'émotion d'un peuple furieux : Pour éteindre ce commencement du trouble, il prit parti de sortir d'un lieu très assuré où il était, et se rendre à cette tourbe mutine : d'où mal lui prit, et y fut misérablement tué » (I, 23, 199).

Ce fut une affreuse boucherie : le gouverneur fut saigné, écorché, dépecé, « salé comme une pièce de bœuf ». Suivant un récit contemporain : « joignant la raillerie à la cruauté, ils firent des ouvertures au corps de Moneins en plusieurs endroits, et le remplirent de sel, pour marquer que c'était en haine de la gabelle qu'ils s'étaient révoltés ». Le choc fut inoubliable pour le jeune homme.

Si Moneins fut exécuté, Montaigne juge, dans le chapitre « Divers événements de même conseil » du premier livre, que ce fut à cause de son irrésolution en face de la foule en fureur :

« […] il ne me semble pas que sa faute fût tant d'être sorti, ainsi qu'ordinairement on le reproche à sa mémoire, comme ce fut d'avoir pris une voie de soumission et de mollesse : et d'avoir voulu endormir cette rage, plutôt en suivant qu'en guidant, et en requérant plutôt qu'en remontrant » (199-200).

Selon Montaigne, Moneins fut responsable de son sort par son comportement. Une terrible répression suivit à Bordeaux : privation des privilèges de la ville, suspension des jurats, dont Pierre Eyquem, destitution de Geoffroy de La Chassaigne, le grand-père de la future femme de Montaigne. L'épisode le marqua pour toujours et il en tira une leçon dont il se souvint lorsque, maire de Bordeaux à son tour, il dut lui aussi faire face à une foule hostile, en mai 1585, à la fin de son second mandat, dans un moment de vive tension entre les ligueurs catholiques et les jurats. Malgré les craintes d'une insurrection, il décida de procéder à la revue annuelle de la bourgeoisie en armes :

« On délibérait de faire une montre générale de diverses troupes en armes, (c'est le lieu des vengeances secrètes ; et n'est point où en plus grande sûreté on les puisse exercer) [...]. Il s'y proposa divers conseils, comme en chose difficile, et qui avait beaucoup de poids et de suite : Le mien fut, qu'on évitât surtout de donner aucun témoignage de ce doute, et qu'on s'y trouvât et mêlât parmi les files, la tête droite, et le visage ouvert [...]. Cela servit de gratification envers ces troupes suspectes, et engendra dès lors en avant une mutuelle et utile confidence » (200-201).

Alors que Moneins s'était montré hésitant, Montaigne attribue son propre succès à son assurance, à la confiance qu'il témoigna dans le danger, à sa droiture et à son ouverture. Sans du tout se mettre en avant, il raconte comment il prit une décision difficile. Il ne dit pas expressément qu'il eut à l'esprit la scène tragique à laquelle il avait assisté près de quarante ans plus tôt. Mais, comme les deux récits se suivent, cela va de soi. Il est rare que, dans les *Essais*, nous tombions sur des moments vécus avec autant d'intensité, de gravité – et de simplicité.

25

Le livre

Dans le chapitre « Des trois commerces »,
Montaigne compare les trois genres de fréquentation qui ont occupé la plus belle part
de sa vie : les « belles et honnêtes femmes »,
les « amitiés rares et exquises », enfin les livres,
qu'il juge plus profitables, plus salutaires, que
les deux premiers attachements :

« Ces deux commerces [l'amour et l'amitié]
sont fortuits, et dépendants d'autrui : l'un est
ennuyeux par sa rareté, l'autre se flétrit avec
l'âge : ainsi ils n'eussent pas assez pourvu au
besoin de ma vie. Celui des livres, qui est le
troisième ; est bien plus sûr et plus à nous. Il
cède aux premiers, les autres avantages : mais
il a pour sa part la constance et facilité de son
service » (III, 3, 1292).

Depuis la mort de La Boétie, Montaigne

n'a plus connu de vraie amitié, et il regrette ailleurs, dans le chapitre « Sur des vers de Virgile », la diminution de sa vigueur amoureuse. Sans doute ces deux sortes d'accointance donnent-elles lieu à des emportements plus fiévreux, à des sensations plus véhémentes, parce qu'elles vont au contact de l'autre, mais elles sont aussi plus éphémères, plus imprévisibles, moins continues. La lecture, elle, offre l'avantage de la patience et de la permanence.

Ce parallèle entre l'amour, l'amitié et la lecture, lesquelles composeraient une sorte de gradation, a pu heurter. Ainsi, la lecture, exigeant la solitude, serait-elle supérieure à toutes les relations engageant autrui, conçues comme des divertissements qui nous éloignent de nous-même. Les livres seraient de meilleurs amis ou amours que les êtres réels. Avant de l'affirmer, n'oublions pas que Montaigne ne cesse jamais de concevoir la vie comme une dialectique entre moi et autrui. Si la rareté de l'amitié et la fugacité de l'amour incitent à privilégier le refuge de la lecture, celle-ci ramène inévitablement aux autres. Des « trois commerces », admettons toutefois que la lecture soit le meilleur :

« Cettui-ci côtoie tout mon cours, et m'assiste partout : il me console en la vieillesse et en la solitude : il me décharge du poids d'une oisiveté ennuyeuse : et me défait à toute heure des compagnies qui me fâchent : il émousse les pointures de la douleur, si elle n'est du tout extrême et maîtresse : Pour me distraire d'une imagination importune, il n'est que de recourir aux livres, ils me détournent facilement à eux, et me la dérobent : Et si ne se mutinent point, pour voir que je ne les recherche, qu'au défaut de ces autres commodités, plus réelles, vives et naturelles : ils me reçoivent toujours de même visage » (1292).

Les livres sont des compagnons toujours disponibles. Vieillesse, solitude, oisiveté, ennui, douleur, anxiété : il n'est aucun mal ordinaire de la vie auquel ils ne sachent fournir un remède, à condition que ces maux ne soient point trop vifs. Les livres modèrent les soucis, offrent un recours et un secours.

On peut quand même sentir pointer un peu d'ironie dans ce portrait avantageux des livres. Ceux-ci ne protestent jamais, ne se rebellent pas lorsqu'ils sont négligés, à la différence des femmes et des hommes de chair et d'os. Les livres sont des présences toujours bienveillantes, douées d'équanimité, alors que les amis et les amantes souffrent des sautes d'humeur.

À l'orée des temps modernes, Montaigne est de ceux qui, par leur éloge de la lecture, ont le mieux annoncé la culture de l'imprimé. Au moment où nous sommes peut-être en train de la quitter, il est bon de se souvenir que c'est dans les livres que les hommes et les femmes se sont connus et retrouvés, durant plusieurs siècles en Occident.

26

La pierre

Montaigne doit son idée de la reproduction sexuée à la médecine de son temps, inspirée d'Aristote, d'Hippocrate et de Galien. Ceux-ci accordaient les plus grands pouvoirs à la faculté générative du sperme. C'est ainsi que Montaigne s'extasie sur les mystères de la transmission des caractéristiques familiales, dans le dernier chapitre du deuxième livre des *Essais*, « De la ressemblance des enfants aux pères » :

« Quel monstre est-ce, que cette goutte de semence, de quoi nous sommes produits, porte en soi les impressions, non de la forme corporelle seulement, mais des pensements et des inclinations de nos pères ? Cette goutte d'eau, où loge-t-elle ce nombre infini de formes ? Et comme portent-elles ces ressemblances, d'un progrès si téméraire et si déréglé, que l'arrière-

fils répondra à son bisaïeul, le neveu à l'oncle ? »
(II, 37, 1188).

Le monstre, c'est la chose incroyable, prodigieuse et admirable. Les hommes de la Renaissance, notamment les médecins comme Ambroise Paré ou Rabelais, s'intéressaient vivement à lui, y cherchant l'explication de la nature. Comme eux, Montaigne accorde un bien moindre rôle aux femmes qu'aux hommes dans la procréation : « [...] les femmes, dit-il ailleurs, produisent bien toutes seules, des amas et pièces de chair informes, mais [...] pour faire une génération bonne et naturelle, il les faut embesogner d'une autre semence » (I, 8, 86). De cette semence, résultent non seulement les ressemblances physiques, mais aussi les traits de caractère, les tempéraments, les humeurs qui se propagent de génération à génération au long d'une lignée.

Si Montaigne se passionne autant pour l'énigme de la reproduction, c'est qu'il a des raisons toutes personnelles de le faire : il estime que sa maladie lui a été transmise par son père, cette gravelle, ces petits cailloux dans les reins dont l'excrétion lui cause de vives douleurs. Ces pierres, il les doit à Pierre Eyquem, au prénom prophétique :

« Il est à croire que je dois à mon père cette qualité pierreuse : car il mourut merveilleusement affligé d'une grosse pierre, qu'il avait en la vessie : Il ne s'aperçut de son mal, que le soixante-septième an de son âge : et avant cela il n'en avait eu aucune menace ou ressentiment, aux reins, aux côtés, ni ailleurs [...]. J'étais né vingt-cinq ans et plus, avant sa maladie, et durant le cours de son meilleur état, le troisième de ses enfants en rang de naissance. Où se couvait tant de temps, la propension à ce défaut ? Et lorsqu'il était si loin du mal, cette légère pièce de sa substance, de quoi il me bâtit, comment en portait-elle pour sa part, une si grande impression ? Et comment encore si couverte, que quarante-cinq ans après, j'aie commencé à m'en ressentir ? seul jusques à cette heure, entre tant de frères, et de sœurs, et tous d'une mère. Qui m'éclaircira de ce progrès, je le croirai d'autant d'autres miracles qu'il voudra : pourvu que, comme ils font, il ne me donne en paiement, une doctrine beaucoup plus difficile et fantastique, que n'est la chose même » (II, 37, 1189).

Montaigne n'en revient pas que le mal paternel ait sommeillé si longtemps en lui avant de s'éveiller dans ses reins, qu'il n'ait affecté que lui parmi ses frères et sœurs, mais, comme il se méfie profondément des médecins, il réfute à l'avance les explications fantaisistes du phénomène qu'ils pourraient proposer. Même face à ce prodige qui le concerne au premier chef – sa pierre –, Montaigne ne renonce pas au doute et se borne à constater, à questionner.

27

Le pari

Religion de Montaigne reste pour nous un énigme

La religion de Montaigne reste pour nous une énigme. Bien malin celui qui réussira à démêler ce qu'il croyait vraiment. Fut-il un bon catholique ou un athée masqué ? Il mourut en chrétien, et les contemporains s'accommodèrent de ses actes de foi, par exemple lors de son voyage à Rome en 1580, mais, tôt dans le XVIIe siècle, on vit en lui un précurseur des libertins, les libres penseurs qui annoncèrent les Lumières.

C'est qu'il sépare absolument la foi de la raison dans l'« Apologie de Raymond Sebond », l'immense et compliqué chapitre théologique du deuxième livre des *Essais* : « C'est la foi seule qui embrasse vivement et certainement les hauts mystères de notre Religion » (II, 12, 694), affirme-t-il d'emblée, tandis que la raison humaine, impuissante, humiliée, ravalée au rang de l'animal, ne saurait prouver ni l'existence de Dieu ni la vérité de la religion. Pour caractériser son attitude, on parle de « fidéisme », doctrine faisant de la foi une grâce, un don gratuit de Dieu, sans le moindre rapport à la raison. L'avantage, c'est de laisser le champ libre à la raison pour examiner tout le reste, ce que Montaigne ne manque pas de faire avec une extrême audace, si bien que, de la religion, il ne subsiste plus que cette foi maintenue en dernière instance, envers et contre tout, quasi étrangère à la condition humaine. Dans l'« Apologie », Montaigne doute de tout, pour proclamer sa foi au bout du compte, comme si de rien n'était.

Le « scepticisme chrétien », comme on dit, c'est – avant le pari de Pascal – le doute qui mène à la foi. Mais que vaut cette foi, si, en chemin, le relativisme a rendu toutes les religions équivalentes et si la religion n'est plus qu'une affaire de tradition ? Nous adoptons celle de notre pays, comme nous suivons ses coutumes et obéissons à ses lois, mais celle-là n'est pas plus fondée que celles-ci :

« Tout cela c'est un signe très évident que nous ne recevons notre religion qu'à notre façon et par nos mains, et non autrement que comme les autres religions se reçoivent. Nous nous sommes rencontrés au pays, où elle était en usage, ou nous regardons son ancienneté, ou l'autorité des hommes qui l'ont maintenue, ou craignons les menaces qu'elle attache aux mécréants, ou suivons ses promesses. Ces considérations-là doivent être employées à notre créance, mais comme subsidiaires : ce sont liaisons humaines. Une autre région, d'autres témoins, pareilles promesses et menaces, nous pourraient imprimer par même voie une créance contraire. Nous sommes Chrétiens à même titre que nous sommes ou Périgourdins ou Allemands » (700).

Prises à la lettre, de telles déclarations sont plus que troublantes ; elles sont même blasphématoires : les religions se transmettent par l'autorité de la coutume, par les superstitions qui s'attachent à ce qu'elles promettent ou ce dont elles menacent. Montaigne suggère certes que d'autres considérations moins humaines et plus transcendantes sont indispensables à la foi – toujours la grâce des fidéistes –, mais la chute n'en est pas moins destructrice : si nous sommes chrétiens comme nous sommes Périgourdins ou Allemands, que reste-t-il de la vérité et de l'universalité de l'Église catholique ? « Quelle vérité est-ce que ces montagnes bornent, mensonge au monde qui se tient au-delà ? », lit-on encore dans l'« Apologie » (898).

Et à quoi se réduit la distinction des catholiques et des protestants ? Montaigne ne se risque jamais à livrer ce qu'il pense de la transsubstantiation, de la présence du corps du Christ dans le pain et le vin, mais – Dieu sait pourquoi – j'ai souvent pensé que tel était – j'avais promis d'y revenir – le troisième motif de la perplexité des Indiens qu'il avait rencontrés en 1562 à Rouen.

28

Honte et art

Montaigne parle de sa sexualité avec une liberté qui peut déconcerter aujourd'hui. C'est dans le chapitre « Sur des vers de Virgile », au troisième livre des *Essais*, pour regretter la vigueur de sa jeunesse. Il éprouve tout de même le besoin de se justifier, ce qui prouve qu'il ne se livre pas sans avoir conscience de briser un tabou.

« Mais venons à mon thème. Qu'a fait l'action génitale aux hommes, si naturelle, si nécessaire, et si juste, pour n'en oser parler sans vergogne, et pour l'exclure des propos sérieux et réglés ? Nous prononçons hardiment, tuer, dérober, trahir : et cela, nous n'oserions qu'entre les dents. Est-ce à dire que moins nous en exhalons en parole, d'autant nous avons loi d'en grossir la pensée ? Car il est bon, que les mots qui sont le moins en usage, moins écrits, et mieux tus, sont les mieux sus et plus généralement connus. Nul âge, nulles meurs l'ignorent non plus que le pain. Ils s'impriment en chacun, sans être exprimés, et sans voix et sans figure. Et le sexe qui le fait le plus, a charge de le taire le plus. C'est une action, que nous avons mise en la franchise du silence, d'où c'est crime de l'arracher. Non pas pour l'accuser et juger : Ni n'osons la fouetter, qu'en périphrase et peinture » (III, 5, 1324-1325).

Montaigne s'interroge longuement sur ce qui nous interdit de parler du sexe, alors que nous nous entretenons sans hésiter de tant d'autres activités bien moins naturelles et plus abominables, dont les crimes comme le vol, le meurtre ou la traîtrise. Il s'agit d'une réflexion importante sur un affect humain capital : la honte. Pourquoi résistons-nous à parler de cela que nous faisons tous les jours ? Comment justifier cette pudeur qui touche aux choses du sexe ? Montaigne a son explication : nous y pensons d'autant plus que nous en parlons peu. Autrement dit, si nous en parlons peu, c'est pour y penser plus. Nous taisons ces mots-là, mais nous les savons parfaitement, et nous les chérissons d'autant plus qu'ils restent secrets. Bref, le mystère qui entoure le sexe contribue à son prestige. Montaigne songe en particulier aux femmes – « le sexe qui le fait le plus » et qui le tait le plus –, suivant un préjugé misogyne bien enraciné à la Renaissance et dont Rabelais offre de nombreux exemples, faisant, à la manière de Platon et des médecins, du sexe féminin un animal autonome et vorace.

Montaigne reconnaît toutefois un immense bénéfice secondaire de l'interdit qui pèse sur le sexe : comme on ne peut pas en parler ouvertement, on trouve le moyen d'en parler autrement, « en périphrase et peinture », dans des poèmes et des tableaux. Montaigne explique l'art par la honte ou la pudeur, comme la recherche d'une façon voilée, couverte, indirecte, de dire le sexe.

Quant à sa misogynie, il y renonce heureusement à la chute du chapitre, pour affirmer fortement l'égalité des hommes et des femmes :

« Je dis, que les mâles et femelles, sont jetés en même moule, sauf l'institution et l'usage, la différence n'y est pas grande : Platon appelle indifféremment les uns et les autres, à la société de tous études, exercices, charges et vacations guerrières et paisibles, en sa république. Et le philosophe Antisthène ôtait toute distinction entre leur vertu et la nôtre. Il est bien plus aisé d'accuser l'un sexe, que d'excuser l'autre. C'est ce qu'on dit, Le fourgon se moque de la pelle » (1407).

Montaigne sait bien qu'il cède à des clichés lorsqu'il caricature la sexualité féminine : le tisonnier, qu'il nomme le fourgon, et la pelle, symboles sexuels évidents, sont renvoyés dos à dos, aussi ridicules – et honteux – l'un que l'autre.

29

Des médecins

Montaigne n'aimait pas les médecins – je l'ai déjà signalé. C'est même la profession contre laquelle il se déchaîne avec le plus d'alacrité. Il prenait les médecins pour des incapables ou des charlatans qui, en particulier, n'y pouvaient rien à sa gravelle, ses cailloux dans les reins. Il instruit leur procès un peu partout dans les *Essais*, ici dans le chapitre « De la ressemblance des enfants aux pères », le dernier du deuxième livre :

« [...] de ce que j'ai de connaissance, je ne vois nulle race de gens si tôt malade, et si tard guérie, que celle qui est sous la juridiction de la médecine. Leur santé même est altérée et corrompue, par la contrainte des régimes. Les médecins ne se contentent point d'avoir la maladie en gouvernement, ils rendent la santé malade, pour garder qu'on ne puisse en aucune saison échapper leur autorité. D'une santé constante et entière, n'en tirent-ils pas l'argument d'une grande maladie future ? » (II, 37, 1193).

Montaigne exagère sans doute : les hommes et les femmes qui suivent les prescriptions de leur médecin, prétend-il, sont plus malades que les autres ; les médecins imposent des remèdes ou régimes qui font plus de mal que de bien ; aux inconvénients de la maladie, ils ajoutent ceux du traitement ; les médecins rendent les gens malades pour assurer leur pouvoir sur eux ; les médecins sont des sophistes qui travestissent la santé en l'annonce d'une maladie. Bref, il vaut mieux ne pas avoir affaire à eux, si l'on espère conserver la santé.

La médecine du temps de Montaigne était fruste et incertaine ; il avait donc d'excellentes raisons de s'en méfier et de la fuir. Une seule technique médicale trouvait grâce à ses yeux, la chirurgie, parce qu'elle tranchait net, là où le mal était indubitable, conjecturait et devinait moins – « parce qu'elle voit et manie ce qu'elle fait », observe-t-il dans le même chapitre (1209) –, mais ses résultats étaient très hasardeux. Pour le reste, Montaigne ne faisait pas grande différence entre la médecine et la magie, et il ne comptait au fond que sur lui-même pour se soigner, c'est-à-dire pour suivre sa nature :

« J'ai été assez souvent malade : j'ai trouvé sans leurs secours, mes maladies aussi douces à supporter (et en ai essayé quasi de toutes les sortes) et aussi courtes, qu'à nul autre : et si n'y ai point mêlé l'amertume de leurs ordonnances. La santé, je l'ai libre et entière, sans règle, et sans autre discipline, que de ma coutume et de mon plaisir. Tout lieu m'est bon à m'arrêter : car il ne me faut autres commodités étant malade, que celles qu'il me faut étant sain. Je ne me passionne point d'être sans médecin, sans apothicaire, et sans secours : de quoi j'en vois la plupart plus affligés que du mal. Quoi ? eux-mêmes nous font-ils voir de l'heur et de la durée en leur vie, qui nous puisse témoigner quelque apparent effet de leur science ? » (1193).

Au nom de la nature, Montaigne efface la frontière de la maladie et de la santé. Les maladies font partie de la nature ; elles ont leur durée, leur cycle de vie, auquel il est plus sage de se soumettre que de prétendre le contrarier. Le refus de la médecine fait partie de la soumission à la nature. Montaigne modifie donc le moins possible ses habitudes quand il est malade.

Vient alors la flèche du Parthe : les médecins ne vivent pas mieux ni plus longtemps que nous ; ils souffrent les même maux et n'en guérissent pas davantage. Cette fois, ne suivons pourtant pas trop vite les conseils de Montaigne : nos médecins n'ont plus rien des apprentis sorciers de la Renaissance et nous pouvons, semble-t-il, leur faire confiance.

30

Le but et le bout

On se dispute beaucoup pour savoir si la pensée de Montaigne a évolué au cours de la rédaction des *Essais*, ou bien si elle a toujours été désordonnée, plurielle, en mouvement. Il y a en tout cas un sujet qui le préoccupe beaucoup et dont il semble parler différemment au début et à la fin : c'est la mort. Un chapitre important du premier livre emprunte son titre à Cicéron : « Que philosopher, c'est apprendre à mourir », et paraît inspiré par le stoïcisme le plus sévère :

« Le but de notre carrière c'est la mort, c'est l'objet nécessaire de notre visée : si elle nous effraie, comme est-il possible d'aller un pas avant, sans fièvre ? Le remède du vulgaire c'est de n'y penser pas. Mais de quelle brutale stupidité lui peut venir un si grossier aveuglement ? [...] Ôtons-lui l'étrangeté, pratiquonsle, accoutumons-le, n'ayant rien si souvent en la tête que la mort » (I, 19, 128-132).

Le sage doit maîtriser ses passions, donc sa peur de la mort ; puisque celle-ci est inévitable, il faut l'« apprivoiser », s'y habituer, y penser toujours, afin de dominer l'effroi qu'inspire cet adversaire implacable.

À la fin des *Essais*, cependant, Montaigne semble avoir compris, en observant la résignation des paysans face à la peste et à la guerre, qu'on ne se prépare pas à la mort par un exercice de la volonté, et que l'incuriosité des gens simples constitue la vraie sagesse, aussi noble que celle de Socrate condamné au suicide :

« Nous troublons la vie par le soin de la mort, et la mort par le soin de la vie. L'une nous ennuie, l'autre nous effraie. Ce n'est pas contre la mort, que nous nous préparons, c'est chose trop momentanée : Un quart d'heure de passion sans conséquence, sans nuisance, ne mérite pas des préceptes particuliers. À dire vrai, nous nous préparons contre les préparations de la mort. [...] Mais il m'est avis, que c'est bien le bout, non pourtant le but de la vie. C'est sa fin, son extrémité, non pourtant son objet. Elle doit être elle-même à soi, sa visée, son dessein » (III, 12, 1632-1633).

Montaigne aime les jeux de mots : la mort est le bout, non le but de la vie. La vie doit viser la vie, et la mort adviendra bien toute seule.

Mais a-t-il évolué avec l'âge ? Ce n'est pas sûr. Dans « Que philosopher, c'est apprendre à mourir », il multipliait les conseils sous la forme d'antithèses si sophistiquées qu'elles pouvaient faire douter de son adhésion intime à la thèse qu'elles exprimaient :

« Il est incertain où la mort nous attende, attendons-la partout. La préméditation de la mort, est préméditation de la liberté. Qui a appris à mourir, il a désappris à servir. Il n'y a rien de mal en la vie, pour celui qui a bien compris, que la privation de la vie n'est pas mal. Le savoir mourir nous affranchit de toute sujétion et contrainte » (I, 19, 132-133).

C'était comme si son esprit raisonnait son imagination, mais sans parvenir à y croire, comme s'il répétait une leçon. Il semblait même ironiser sur ce combat perdu d'avance avec la mort : « Si c'était ennemi qui se pût éviter, je conseillerais d'emprunter les armes de la couardise » (131), c'est-à-dire de fuir.

Même sur l'attitude devant la mort, Montaigne n'a pas vraiment évolué au cours des *Essais*, mais hésité. Comment vit-on le mieux ?

En ayant toujours la mort à l'esprit, comme Cicéron et les stoïciens, ou bien en y pensant le moins possible, comme Socrate et les paysans ? Partagé entre la mélancolie et la joie de vivre, Montaigne a tergiversé – comme nous tous –, et sa leçon finale avait été énoncée dès le début : « Je veux […] que la mort me trouve plantant mes choux » (135).

31

Une partie de lui-même

En 1595, dans l'édition posthume des *Essais*, Montaigne clôt le chapitre « De la présomption », où il vient de se dépeindre, puis de recenser quelques contemporains remarquables, par un vibrant éloge de Marie de Gournay, sa fille d'alliance. Comme ce compliment ne figurait pas dans les précédentes éditions des *Essais* et que Mlle de Gournay a préparé celle-ci, l'authenticité de ces lignes flatteuses a pu être contestée :

« J'ai pris plaisir à publier en plusieurs lieux, l'espérance que j'ai de Marie de Gournay le Jars ma fille d'alliance : et certes aimée de moi beaucoup plus que paternellement, et enveloppée en ma retraite et solitude, comme l'une des meilleures parties de mon propre être. Je ne regarde plus qu'elle au monde. Si l'adolescence peut donner présage, cette âme sera quelque jour capable des plus belles choses, et entre autres de la perfection de cette très sainte amitié, où nous ne lisons point que son sexe ait pu monter encore » (II, 17, 1022-1023).

C'est dans l'édition de Mlle de Gournay, initialement précédée d'une importante préface signée d'elle, qu'on a lu les *Essais* durant plusieurs siècles et qu'ils ont marqué, par exemple, Pascal et Rousseau. Au xxe siècle, on a préféré l'« exemplaire de Bordeaux », jugeant plus fidèle ce gros in-quarto de l'édition de 1588, couvert par Montaigne d'annotations marginales, ses « allongeails », comme il les nommait. Entre l'édition de 1595 et l'exemplaire de Bordeaux, les divergences sont nombreuses, dont le morceau sur Mlle de Gournay, absent de l'exemplaire de Bordeaux. Or, aujourd'hui, l'édition posthume a été réhabilitée, car elle se serait fondée sur un meilleur texte. Il n'y aurait donc plus de raison de douter du beau portrait que Montaigne a fait de sa fille d'alliance :

« [...] la sincérité et la solidité de ses mœurs, [...] sont déjà battantes, son affection vers moi plus que surabondante : et telle en somme qu'il n'y a rien à souhaiter, sinon que l'appréhension qu'elle a de ma fin, par les cinquante et cinq ans auxquels elle m'a rencontré, la travaillât moins cruellement. Le jugement qu'elle fit des premiers Essais, et femme, et en ce siècle, et si jeune, et seule en son quartier, et la véhémence fameuse dont elle m'aima et me désira longtemps sur la seule estime qu'elle en prit de moi, avant m'avoir vu, c'est un accident de très digne considération » (1023).

Ce commerce entre un homme d'âge mûr et une jeune femme, de plus de trente ans sa cadette, a intrigué. Montaigne n'a plus eu d'ami, au sens de l'idéal antique, depuis la mort de La Boétie en 1563, mais il juge Mlle de Gournay digne de figurer au panthéon du siècle. Férue de grec, de latin et de culture classique, loin d'être une « précieuse ridicule », comme on l'a parfois présentée avec malveillance, elle a découvert seule les deux premiers livres des *Essais*, à l'âge de dix-huit ans, et elle a été transportée d'admiration ; elle a rencontré Montaigne une seule fois, à Paris, en 1588, puis elle a correspondu avec lui jusqu'à sa mort – avant d'être chargée par Mme de Montaigne de préparer l'édition posthume des *Essais*.

Montaigne, dont un seul de ses six enfants,

sa fille Léonor, avait survécu, confie qu'il aime sa fille d'alliance « plus que paternellement » et comme si elle était une partie de lui-même, ou encore qu'il « ne regarde plus qu'elle au monde », tandis qu'elle lui voue une affection « plus que surabondante ». Leur attachement prouverait, s'il en était besoin, que Montaigne ne fut pas victime des préjugés de son siècle contre les femmes, puisque c'est pour une jeune fille qu'il a éprouvé, dans ses dernières années, une amitié exceptionnelle, digne de l'Antiquité.

32

La chasse et la prise

Dans le chapitre « Sur des vers de Virgile »,
Montaigne, l'homme droit, sincère, honnête,
celui qui déteste par-dessus tout la dissimulation, redécouvre paradoxalement les prestiges
de la voie couverte en matière amoureuse. Ce
qu'il aperçoit à cette occasion, c'est en somme
la différence entre la pornographie, qui montre
tout, et l'érotisme, qui voile pour mieux suggé-
rer et pour attiser le désir :

« L'amour des Espagnols, et des Italiens,
plus respectueuse et craintive, plus mineuse
et couverte, me plaît. Je ne sais qui, ancienne-
ment, désirait le gosier allongé comme le col
d'une grue, pour savourer plus longtemps ce
qu'il avalait. Ce souhait est mieux à propos
en cette volupté, vite et précipiteuse : Même
à telles natures comme est la mienne, qui suis

vicieux en soudaineté. Pour arrêter sa fuite, et l'étendre en préambules ; entre eux, tout sert de faveur et de récompense : une œillade, une inclination, une parole, un signe. Qui se pourrait dîner de la fumée du rôt, ferait-il pas une belle épargne ? » (III, 5, 1380-1381).

Ainsi, Montaigne fait l'éloge de la lenteur en amour, de la séduction et de la galanterie, considérées comme des qualités méridionales. Même lui, qui, avoue-t-il, est « vicieux en soudaineté », c'est-à-dire incapable de retarder sa volupté, comprend qu'il est une occupation où la manière trop directe et ouverte, ne paie pas. Les charmes de la lascivité tiennent au prolongement des préparatifs. Quant à la comparaison insistante des plaisirs de l'amour et de ceux de la table, elle nous rappelle que la luxure et la gloutonnerie étaient, sont encore, des vices, deux des sept péchés capitaux, aggravés par les manœuvres dilatoires qui en retardent le but.

Au fond, Montaigne semble éprouver lui-même de la surprise à se voir réhabiliter, sans qu'il l'ait prévu, la feintise et la duplicité, qu'il condamne partout ailleurs : « Apprenons aux dames à se faire valoir, à s'estimer, à nous amuser, et à nous piper. Nous faisons notre charge extrême la première : il y a toujours de l'impétuosité Françoise » (1381). En la matière, il reviendrait aux femmes de faire languir les hommes dans les préliminaires de la coquetterie et du flirt, de temporiser, de différer leurs faveurs.

Or, de cet exemple, Montaigne tire une leçon bien plus large pour la conduite de la vie, une leçon qui infléchit son éthique spontanée : « Qui n'a jouissance, qu'en la jouissance : qui ne gagne que du haut point : qui n'aime la chasse qu'en la prise : il ne lui appartient pas de se mêler à notre école. Plus il y a de marches et degrés, plus il y a de hauteur et d'honneur au dernier siège. Nous nous devrions plaire d'y être conduits, comme il se fait aux palais magnifiques, par divers portiques, et passages, longues et plaisantes galeries, et plusieurs détours. [...] Sans espérance, et sans désir, nous n'allons plus rien qui vaille » (1381).

Dans la chasse, le plaisir ne tient pas à la prise, mais à la chasse elle-même et à tout ce qui l'entoure, la promenade, le paysage, la compagnie, l'exercice. Un chasseur qui ne pense qu'à la proie, c'est ce qu'on appelle un viandard. Et Montaigne en dirait autant de bien d'autres activités moins sensuelles, par exemple la lecture ou l'étude, ces chasses spirituelles dont nous pensons parfois revenir bre-douilles, alors que les bonheurs se sont accu-mulés tout le long du chemin. Notre école, comme dit Montaigne, c'est celle du loisir, l'*otium* de l'homme libre et lettré, le chasseur de livres qui peut consacrer son temps à une occupation sans but immédiat.

33

La désinvolture

Dans les *Essais*, Montaigne fait preuve d'une étonnante liberté d'écriture. Il rejette les contraintes de l'art d'écrire appris à l'école ; il défend un style insoucieux et dégourdi, qu'il analyse dans le chapitre « De l'institution des enfants » :

« Je tords bien plus volontiers une belle sentence, pour la coudre sur moi, que je ne détords mon fil, pour l'aller quérir. Au rebours, c'est aux paroles à servir et à suivre, et que le Gascon y arrive, si le François n'y peut aller. Je veux que les choses surmontent, et qu'elles remplissent de façon l'imagination de celui qui écoute, qu'il n'ait aucune souvenance des mots. Le parler que j'aime, c'est un parler simple et naïf, tel sur le papier qu'à la bouche : un parler succulent et nerveux, court et serré, non tant délicat et peigné, comme véhément et brusque. [...] Plutôt difficile qu'ennuyeux, éloigné d'affectation : déréglé, décousu, et hardi : chaque lopin y fasse son corps : non pédantesque, non fratesque, non plaideresque, mais plutôt soldatesque, comme Suétone appelle celui de Jules César » (I, 25, 265).

Montaigne n'aime pas les transitions et les ornements ; il entend aller droit au but et dénonce tous les effets de style ; il refuse d'utiliser les mots pour cacher les choses, de dissimuler les idées sous les figures. Pour lui, les mots sont comme des vêtements qui ne doivent pas déformer le corps, mais le mouler, le laisser deviner, comme une seconde peau juste-au-corps, soulignant les formes naturelles. C'est encore une façon de refuser l'artifice, le maquillage. Non seulement Montaigne a choisi le français au lieu du latin, mais, si un mot français lui manque, il n'hésite pas à recourir au patois, et il vante une manière d'écrire qui reste au plus près de la voix, « tel sur le papier qu'en la bouche ». La description de sa langue idéale est concrète, savoureuse, charnelle. Il accumule les adjectifs sensuels pour évoquer le style qu'il admire et qui présente toutes les caractéristiques de la brièveté, la *brevitas* austère des Spartiates qui se distingue de l'abondance copieuse, l'*ubertas* des Athéniens, au risque de devenir un peu difficile et de frôler le style énigmatique des Crétois. Aux grands lieux de l'éloquence rhétorique, l'école, la chaire et le barreau – « le pédantesque, le fratesque et le plaideresque » –, Montaigne oppose l'élocution militaire de Jules César, son style coupé, serré, fait de phrases courtes, abruptes, et non de périodes.

Mais Montaigne a un autre modèle plus récent à l'esprit, qu'il a trouvé dans un ouvrage à la mode, *Le Livre du courtisan* de Baldassare Castiglione, publié en 1528 : c'est ce qu'on appelle en italien la *sprezzatura*, la désinvolture ou la nonchalance de l'homme de cour, la négligence diligente, qui, à l'opposé de l'affectation, dissimule l'art.

« J'ai volontiers imité cette débauche qui se voit en notre jeunesse, au port de leurs vêtements. Un manteau en écharpe, la cape sur une épaule, un bas mal tendu, qui représente une fierté dédaigneuse de ces parements estrangers, et nonchalante de l'art : mais je la trouve encore mieux employée en la forme du parler. Toute affectation, nommément en la gaieté et liberté Françoise, est mésadvenante au courtisan. Et en une Monarchie, tout gentilhomme doit être dressé au port d'un courtisan. Par quoy nous faisons bien de gauchir un peu sur le naïf et méprisant » (265-266).

Le style de Montaigne, c'est cela : une cape jetée sur l'épaule, un manteau en écharpe, un bas qui tombe ; c'est le comble de l'art qui rejoint la nature.

34

Antimémoires

Montaigne entretient des rapports très ambigus avec la mémoire. Conformément à la tradition ancienne, il ne cesse d'en faire l'éloge, comme d'une faculté indispensable à l'homme accompli. La mémoire est la dernière partie de la rhétorique ; grâce à elle, l'orateur dispose d'un trésor de mots et de choses lui permettant de bien parler en toutes circonstances. Tous les traités de rhétorique, comme ceux de Cicéron ou Quintilien, encouragent à l'entraînement de la mémoire, et la Renaissance est l'âge de la mémoire artificielle et des théâtres de mémoire. Or Montaigne se distingue en insistant souvent sur la pauvreté de sa mémoire, par exemple dans son autoportrait du chapitre « De la présomption » :

« C'est un outil de merveilleux service, que

la mémoire, et sans lequel le jugement fait bien à peine son office : elle me manque du tout. Ce qu'on me veut proposer, il faut que ce soit à parcelles : car de répondre à un propos, où il y eut plusieurs divers chefs, il n'est pas en ma puissance. Je ne saurais recevoir une charge sans tablettes : Et quand j'ay un propos de conséquence à tenir, s'il est de longue haleine, je suis réduit à cette vile et misérable nécessité, d'apprendre par cœur mot à mot ce que j'ai à dire : autrement je n'aurais ni façon, ni assurance, étant en crainte que ma mémoire vînt à me faire un mauvais tour » (II, 17, 1002-1003).

Montaigne avoue qu'il souffre d'une mauvaise mémoire. Cela fait partie de la longue liste des défauts qu'il signale chaque fois qu'il fait son autoportrait, afin d'illustrer sa médiocrité physique et morale. Il est incapable de retenir un discours compliqué, et donc d'y répondre ; si on lui confie une mission, il faut que celle-ci soit consignée par écrit ; et s'il doit tenir un discours, il lui faut l'apprendre par cœur et le débiter mécaniquement. Ce que Montaigne s'obstine à rappeler, c'est qu'il lui manque cette mémoire agile de l'orateur qui, pour prononcer son discours, se représentait une architecture, une maison, dont il parcourait les pièces par la pensée, récupérant dans chacune d'elles les choses et les mots qu'il y avait préalablement déposés. La mémoire de Montaigne n'a pas cette souplesse ; c'est pourquoi il doit se contenter de réciter ses discours.

Mais l'absence de mémoire offre des avantages. D'abord elle interdit le mensonge, contraint à la sincérité. Un menteur sans mémoire ne saurait plus ce qu'il a dit, et à qui ; il se contredirait forcément, exposant bientôt ses tromperies. Ainsi, Montaigne peut présenter son honnêteté en toute modestie, non pas comme une vertu, mais comme une condition à laquelle le condamne son défaut de mémoire. Ensuite, l'homme sans mémoire a un meilleur jugement, car il dépend moins des autres :

« C'est le réceptacle et l'étui de la science, que la mémoire : l'ayant si défaillante je n'ai pas fort à me plaindre, si je ne sais guère. Je sais en général le nom des arts, et ce de quoi ils traitent, mais rien au-delà. Je feuillette les livres, je ne les étudie pas : Ce qui m'en demeure, c'est chose que je ne reconnais plus être d'autrui : C'est cela seulement, de quoi mon jugement a fait son profit : les discours et les imaginations, de quoi il s'est imbu. L'auteur, le lieu, les mots, et autres circonstances, je les oublie incontinent. Et suis si excellent en l'oubliance, que mes écrits mêmes et compositions, je ne les oublie pas moins que le reste » (1005-1006).

Bref, en matière de mémoire, la profession d'humilité de Montaigne pourrait bien avoir la valeur d'une revendication d'originalité.

35

Odeurs, tics, mimiques

Montaigne s'intéresse dans les livres à des détails qui peuvent nous sembler très accessoires, comme celui-ci, dans le petit chapitre « Des senteurs », au premier livre :

« Il se dit d'aucuns, comme d'Alexandre le grand, que leur sueur épandait une odeur suave, par quelque rare et extraordinaire complexion, de quoi Plutarque et autres recherchent la cause. Mais la commune façon des corps est au contraire : et la meilleure condition qu'ils aient, c'est d'être exempts de senteur » (I, 55, 509).

Montaigne a lu ce trait minuscule dans les *Vies parallèles des hommes illustres* de Plutarque, son livre de chevet, un best-seller de la Renaissance. D'abord, cela nous rappelle que les odeurs pouvaient être un supplice avant l'hygiène moderne : si « la commune façon des corps est au contraire » d'Alexandre, comme le note Montaigne, c'est que la plupart des hommes sentaient mauvais. Lorsque Montaigne voyage, il est incommodé par les miasmes de la ville : « Le principal soin que j'aie à me loger, c'est de fuir l'air puant et pesant. Ces belles villes, Venise et Paris, altèrent la faveur que je leur porte, par l'aigre senteur, l'une de son marais, l'autre de sa boue » (512).

Le mieux que l'on puisse espérer, c'est que les hommes ne sentent rien. Or Alexandre – à la sueur suave – non seulement ne sentait pas mauvais, mais sentait naturellement bon. Selon Plutarque, il avait un tempérament chaud, tenant du feu, qui cuisait et dissipait l'humidité de son corps. Montaigne raffole de ce genre de notations qu'il récolte chez les historiens. Il s'intéresse non aux grands événements, aux batailles, aux conquêtes, mais aux anecdotes, aux tics, aux mimiques : Alexandre penchait la tête sur le côté, César se grattait la tête d'un doigt, Cicéron se curait le nez. Ces gestes non contrôlés, échappant à la volonté, en disent plus sur un homme que les hauts faits de sa légende. C'est eux que Montaigne recherche dans les livres d'histoire, ainsi qu'il l'indique dans le chapitre « Des livres », au deuxième livre des *Essais*, à travers une image empruntée au jeu de paume, celle de la « droite balle », la balle facile qui arrive sur mon coup droit :

« Les historiens sont ma droite balle : car ils sont plaisants et aisés : et quant et quant [en même temps] l'homme en général, de qui je cherche la connaissance, y paraît plus vif et plus entier qu'en nul autre lieu : la variété et vérité de ses conditions internes, en gros et en détail, la diversité des moyens de son assemblage, et des accidents qui le menacent. Or ceux qui écrivent les vies, d'autant qu'ils s'amusent plus aux conseils qu'aux événements : plus à ce qui part du dedans, qu'à ce qui arrive au dehors : ceux là me sont plus propres » (II, 10, 658).

Dans les livres des historiens, ses lectures préférées, Montaigne s'attache non aux événements, mais aux « conseils », c'est-à-dire aux délibérations qui préparent les décisions, à la manière dont les décisions sont prises. Le cours des événements dépend de la fortune ; la délibération nous en dit plus sur les hommes, car elle nous fait pénétrer en eux.

« Voilà pourquoi en toutes sortes, c'est mon homme que Plutarque. Je suis bien marri que nous n'ayons une douzaine de Laërce, ou qu'il ne soit plus étendu, ou plus entendu : Car je suis pareillement curieux de connaître les fortunes et la vie de ces grands précepteurs du monde, comme de connaître la diversité de leurs dogmes et fantaisies » (II, 10, 658-659).

Amateur de vies, Montaigne s'est donc mis à écrire la sienne.

36

Contre la torture

L'affaire Martin Guerre est célèbre. Ce paysan du comté de Foix avait quitté son village à la suite d'un conflit familial. Quand il revint douze ans plus tard, un sosie avait pris sa place, jusque dans le lit conjugal. Il déposa plainte. S'ensuivit un long procès pour départager les deux hommes. En 1560, Arnaud du Tilh, l'usurpateur – incarné à l'écran par Gérard Depardieu, dans *Le Retour de Martin Guerre*, film de Daniel Vigne de 1982 –, fut déclaré coupable et pendu. Jean de Coras, conseiller au parlement de Toulouse, publia le récit de cette « histoire prodigieuse de notre temps ». Montaigne l'évoque au troisième livre des *Essais*, dans le chapitre « Des boiteux » :

« Je vis en mon enfance, un procès que Corras Conseiller de Toulouse fit imprimer, d'un accident étrange ; de deux hommes, qui se présentaient l'un pour l'autre : il me souvient (et ne me souvient aussi d'autre chose) qu'il me sembla avoir rendu l'imposture de celui qu'il jugea coupable, si merveilleuse et excédant de si loin notre connaissance, et la sienne, qui était juge, que je trouvai beaucoup de hardiesse en l'arrêt qui l'avait condamné à être pendu. Recevons quelque forme d'arrêt qui dise : La Cour n'y entend rien ; Plus librement et ingénument, que ne firent les Aréopagites : lesquels se trouvant pressés d'une cause, qu'ils ne pouvaient développer, ordonnèrent que les parties en viendraient à cent ans » (III, 11, 1601).

Montaigne confond les années – il avait vingt-sept ans à l'époque et n'était plus enfant –, mais confesse sa perplexité. À la place de Coras, il n'aurait pas su trancher entre les deux Martin, le vrai et le faux, celui qui avait occupé longtemps la place auprès des siens et de sa jeune femme, et celui qui était revenu après des années et avait réclamé sa place. L'aventure du prétendu Martin Guerre lui semble si « merveilleuse » qu'il trouve bien audacieuse l'assurance du juge qui le condamna, et il eût préféré, comme les Aréopagites devant un cas inexplicable, qu'il eût suspendu son jugement.

Montaigne s'intéresse à Martin Guerre parmi d'autres affaires difficiles ou impossibles à débrouiller. Il s'élève contre la torture, à laquelle on recourt pour les résoudre – par exemple avec les sorcières, pour lesquelles il réclame, à peu près seul en son temps, la même abstention du jugement :

« Les sorcières de mon voisinage, courent hasard de leur vie, sur l'avis de chaque nouvel auteur, qui vient donner corps à leurs songes. [...] puisque nous n'en voyons, ni les causes, ni les moyens : il y faut autre engin que le nôtre. [...] À tuer les gens : il faut une clarté lumineuse. [...] Et suis l'avis de saint Augustin, qu'il vaut mieux pencher vers le doute, que vers l'assurance, ès choses de difficile preuve, et dangereuse créance » (1601-1604).

La mode était aux traités de démonologie qui prétendaient expliquer les phénomènes de magie noire et qui justifiaient l'usage des supplices dans les procès de sorcellerie. Montaigne reste sceptique : pour lui, les sorcières sont des folles et les démonologues des imposteurs ; sorcières et démonologues sont victimes de la même illusion collective. Notre ignorance devrait nous conduire à plus de prudence et de réserve. « Après tout, conclut Montaigne, c'est mettre ses conjectures à bien haut prix, que d'en faire cuire un homme tout vif» (1604-1605).

En face du faux Martin Guerre et des sorcières, ou encore des Indiens du Nouveau Monde – dans le chapitre « Des coches » –, Montaigne s'élève contre toute forme de cruauté et prône la tolérance, l'indulgence. Peu de sentiments le définissent mieux que ceux-là.

37

Sic et non

Chaque fois que Montaigne touche aux choses de la religion, il le fait avec une extrême circonspection, par exemple à l'ouverture du chapitre « Des prières », dans le premier livre des *Essais*, au moment de donner son avis sur cet acte rituel de la vie chrétienne :

« Je propose des fantaisies informes et irrésolues, comme font ceux qui publient des questions douteuses, à débattre aux écoles : non pour établir la vérité, mais pour la chercher : Et les soumets au jugement de ceux, à qui il touche de régler non seulement mes actions et mes écrits, mais encore mes pensées. Également m'en sera acceptable et utile la condamnation, comme l'approbation, tenant pour absurde et impie, si rien se rencontre ignoramment ou inadvertamment couché en cette rhapsodie contraire aux saintes résolutions et prescriptions de l'Église Catholique Apostolique et Romaine, en laquelle je meurs, et en laquelle je suis né » (I, 56, 512-513).

Le chapitre commence, une fois de plus, par une profession d'humilité : ici, ce ne sont que libres discussions où l'on se garde bien d'aboutir à des conclusions ; on dispute pour le plaisir de disputer ; comme, sur les bancs de l'université, on soutient aussi bien le pour que le contre d'une thèse, *pro et contra, sic et non*, pour s'entraîner, non pour promulguer ; il s'agit bien d'*Essais*, c'est-à-dire d'exercices ou d'expériences de pensée, de jeux d'idées, nullement d'un traité de philosophie ou de théologie. Montaigne ne tient pas à ses propos, se dit prêt à les réfuter s'ils devaient être jugés erronés, et se soumet sans réserve à l'autorité de l'Église.

Ce sera le sens de son voyage à Rome en 1580, afin de présenter les livres I et II des *Essais* à la censure pontificale. Celle-ci critiqua bien quelques points de détail, comme l'utilisation du mot de *fortune*, mais n'objecta rien, par exemple, au fidéisme, au scepticisme chrétien, c'est-à-dire à la séparation quasi absolue de la foi et de la raison dans l'« Apologie de

Raymond Sebond ». Et Montaigne, sentant la mort plus proche, renforça après 1588 le début « Des prières » pour affirmer son attachement traditionnel à l'Église.

Cela ne l'empêche pas de clamer un peu partout sa méfiance à l'égard des miracles et des superstitions, ou, on l'a vu, de réclamer plus de tolérance pour les sorcières de ses environs. On trouve aussi dans les recoins des *Essais* des propos plus troublants, comme celui-ci, dans l'« Apologie » :

« Ce que je tiens aujourd'hui, et ce que je crois, je le tiens, et le crois de toute ma croyance ; tous mes outils et tous mes ressorts empoignent cette opinion, et m'en répondent, sur tout ce qu'ils peuvent : je ne saurais embrasser aucune vérité ni conserver avec plus d'assurance, que je fais cette-ci. J'y suis tout entier ; j'y suis vraiment : mais ne m'est-il pas advenu non une fois, mais cent, mais mille, et tous les jours, d'avoir embrassé quelque autre chose à tout [avec] ces mêmes instruments, en cette même condition, que depuis j'ai jugée fausse ? » (II, 12, 874).

Ainsi, je peux croire aujourd'hui de toute ma foi en ceci ou cela, avec une sincérité et une assurance totales sur le moment, tout en sachant qu'il m'est arrivé souvent de changer de conviction. L'incertitude du jugement et l'inconstance des actions sont les maîtres mots des *Essais*, répétés en tous leurs lieux stratégiques. En parlant de sa croyance, Montaigne ne fait pas ici expressément référence à la foi chrétienne, mais elle n'échappe à la versatilité qu'en la supposant d'un tout autre ordre, sans commune mesure avec l'homme.

38

L'ignorance savante

Vers la fin du premier livre des *Essais*, au début du chapitre « De Démocrite et Héraclite » – le philosophe qui rit et le philosophe qui pleure, deux manières d'exprimer le ridicule de la condition humaine –, Montaigne fait le point sur sa méthode :

« Je prends de la fortune le premier argument : ils me sont également bons : et ne desseigne [projette] jamais de les traiter entiers » (I, 50, 490).

Autrement dit : « Tout argument m'est également fertile » (III, 5, 1373) : la méditation de Montaigne peut prendre son départ de n'importe quelle observation, lecture ou rencontre de hasard. C'est pourquoi il aime tant le voyage, en particulier – on l'a vu – la promenade à cheval, pendant laquelle lui viennent le mieux les idées, suscitées, puis suspendues, par le mouvement des choses, de la vie. Il suit une pensée durant un moment, puis l'abandonne pour une autre, mais cela n'est pas bien grave, car tout se tient.

Ce bref point de méthode appellera plus tard une addition prolongée :

« Car je ne vois le tout de rien : Ne font pas, ceux qui nous promettent de nous le faire voir. De cent membres et visages, qu'a chaque chose j'en prends un, tantôt à lécher seulement, tantôt à effleurer : et parfois à pincer jusqu'à l'os. J'y donne une pointe, non pas le plus largement, mais le plus profondément que je sais. Et aime plus souvent à les saisir par quelque lustre inusité » (I, 50, 490).

Cette fois, après avoir publié ses *Essais*, Montaigne est plus assuré : ceux qui prétendent aller au fond des choses, dit-il, nous trompent, car il n'est pas donné à l'homme de connaître le fond des choses. Et la diversité du monde est si grande que tout savoir est fragile, se résume à une opinion. Les choses ont « cent membres et visages ». « Leur plus universelle qualité, c'est la diversité » (II, 37, 1229). Si bien que tout ce à quoi je puis prétendre, c'est d'éclairer tel ou tel de leurs aspects. Montaigne multiplie les points de vue, se contredit, mais c'est que le monde est lui-même plein de paradoxes et d'incohérences.

« Je me hasarderais de traiter à fond quelque matière, si je me connaissais moins, et me trompais en mon impuissance. Semant ici un mot, ici un autre, échantillons dépris de leur pièce, écartés, sans dessein, sans promesse : je ne suis pas tenu d'en faire bon, ni de m'y tenir moi-même, sans varier, quand il me plaît, et me rendre au doute et incertitude, et à ma maîtresse forme, qui est l'ignorance » (I, 50, 490).

Seule l'illusion peut nous faire croire que nous irons au bout d'un sujet. Allant de-ci de-là, abordant toute chose par un petit côté, Montaigne n'écrit pas comme si c'était pour de bon, sérieusement, définitivement, mais en suivant son bon plaisir, en se contredisant à l'occasion, ou en suspendant son jugement si la matière est intraitable ou indécidable, comme la sorcellerie.

Le passage, l'addition se conclut par un éloge de l'ignorance, « ma maîtresse forme ». Mais, attention, cette ignorance qui est la leçon finale des *Essais*, ce n'est pas l'ignorance primitive, la « bêtise et ignorance » de celui qui refuse de connaître, qui n'essaie pas de savoir, mais l'ignorance savante, celle qui a traversé les savoirs et s'est aperçu qu'ils n'étaient jamais que des demi-savoirs. Il n'y a rien de pire au monde que les demi-savants, comme dira Pascal, ceux qui croient savoir. L'ignorance dont Montaigne fait l'éloge, c'est bien celle de Socrate, qui sait qu'il ne sait pas ; c'est « l'extrême degré de perfection et de difficulté » qui rejoint « la pure et première impression et ignorance de nature » (III, 12, 1638-1639).

160

39

Le temps perdu

Dans les marges de l'exemplaire de Bordeaux des *Essais*, ce gros volume in-quarto de l'édition de 1588 que Montaigne bourra d'« allongeails » jusqu'à sa mort en 1592, nombreuses sont les réflexions qui reviennent après coup sur son projet, comme cette addition du chapitre « Du démentir » :

« Et quand personne ne me lira, ai-je perdu mon temps, de m'être entretenu tant d'heures oisives, à pensements si utiles et agréables ? Moulant sur moi cette figure, il m'a fallu si souvent testonner et composer, pour m'extraire, que le patron s'en est fermi, et aucunement formé soi-même. Me peignant pour autrui, je me suis peint en moi, de couleurs plus nettes, que n'étaient les miennes premières. Je n'ai pas plus fait mon livre, que mon livre m'a fait. Livre consubstantiel à son auteur : D'une occupation propre : Membre de ma vie : Non d'une occupation et fin tierce et étrangère, comme tous autres livres » (II, 18, 1026).

À quoi bon les *Essais* ? Ce qui rend Montaigne si humain, si proche de nous, c'est le doute, y compris sur lui-même. Il hésite toujours, partagé entre le rire et la tristesse. Au bout des *Essais*, cet homme qui leur a voué la plus belle part de sa vie en est encore à se demander s'il a perdu son temps. Le livre est donné pour un moulage, comme une empreinte prise sur un modèle afin d'en reproduire les contours. Mais Montaigne va plus loin, ne se contente pas de cette analogie simple : il décrit aussitôt une dialectique qui lie l'original et la reproduction, le « patron » et la « figure », pour reprendre ses termes. L'action du moulage a transformé le modèle, qui en ressort mieux « testonné », c'est-à-dire mieux coiffé, plus arrangé. Le modèle se retrouve dans la copie, mais la copie a modifié le modèle : ils se sont faits l'un à l'autre, ou l'un l'autre, si bien qu'ils sont devenus indistincts : « qui touche l'un, touche l'autre », dira Montaigne dans le chapitre « Du repentir » (III, 2, 1258).

On sent qu'il éprouve une certaine fierté

d'avoir réussi dans une entreprise sans précédent, puisqu'aucun auteur avant lui n'avait eu l'ambition de réaliser cette parfaite identité entre l'homme et le livre. Mais cette petite vanité doit être aussitôt démentie, car tout s'est fait sans dessein, par hasard, en suivant son plaisir.

« Ai-je perdu mon temps, de m'être rendu compte de moi, si continuellement ; si curieusement ? Car ceux qui se repassent par fantaisie seulement, et par langue, quelque heure, ne s'examinent pas si primement, ni ne se pénètrent, comme celui qui en fait son étude, son ouvrage et son métier : qui s'engage à un registre de durée, de toute sa foi, de toute sa force. [...] Combien de fois m'a cette besogne diverti de cogitations ennuyeuses ? » (II, 18, 1026-1027).

Montaigne a conscience de la singularité et de la témérité de sa démarche : ceux qui s'examinent seulement en pensées, en paroles, ou de temps à autre, ne vont pas aussi loin dans la connaissance de soi, c'est-à-dire la connaissance de l'homme. Montaigne sait que le fait d'écrire, de s'écrire, l'a changé, en lui-même et avec les autres. « Qu'un homme tel que Montaigne ait écrit, véritablement la joie de vivre sur terre s'en trouve augmentée », reconnaîtra Nietzsche.

Mais il n'est pas question de « planter une statue au carrefour » (II, 18, 1025) : dès qu'il s'est un peu poussé, Montaigne se retire : avant tout, l'écriture a été une distraction, un remède contre l'ennui, un secours contre la mélancolie.

40

Le trône du monde

Longtemps, je me suis demandé si j'oserais citer la conclusion très irrévérencieuse des *Essais*, au risque d'effaroucher les oreilles délicates. Mais si Montaigne l'a dit, de quel droit ne pas le redire ? Allons-y, puisque c'est la dernière occasion : « Ésope ce grand homme vit son maître qui pissait en se promenant, Quoi donc, fit-il, nous faudra-t-il chier en courant ? Ménageons le temps, encore nous en reste-t-il beaucoup d'oisif, et mal employé » (III, 13, 1739).

Toute une philosophie de la vie est ainsi résumée en quelques mots frappants. Les hommes de la Renaissance ne faisaient pas tant de manières que nous et disaient franchement ce qu'ils pensaient. Le dernier chapitre des *Essais*, « De l'expérience », expose la sagesse finale de Montaigne, souvent associée à l'épi-curisme. Prenons le temps de vivre ; suivons la nature ; jouissons du moment présent ; ne nous précipitons pas pour rien. *Festina lente* ou « Hâte-toi lentement », comme le résumait une devise paradoxale prisée par Érasme. Comme Montaigne l'exprime un peu plus haut :

« J'ai un dictionnaire tout à part moi : je passe le temps, quand il est mauvais et incom-mode ; quand il est bon, je ne le veux pas pas-ser, je le retâte, je m'y tiens. Il faut courir le mauvais, et se rasseoir au bon » (1732).

Pressons le pas quand nous avons de la peine, mais savourons tranquillement les plai-sirs de l'instant. *Carpe diem*, disait Horace. « Cueille le jour présent sans te soucier du lendemain » ; profite du moment dans sa plé-nitude sans penser à la mort. Les dernières pages des *Essais* déclinent cette morale sous toutes ses formes, prêchent la coïncidence avec soi-même :

« Quand je danse, je danse : quand je dors, je dors. Voire, et quand je me promène soli-tairement en un beau verger, si mes pensées se sont entretenues des occurrences étran-gères quelque partie du temps : quelque autre partie, je les ramène à la promenade, au verger, à la douceur de cette solitude, et à moi » (1726).

L'éthique de la vie que se propose Montaigne est aussi une esthétique, un art de vivre en beauté. La saisie du moment devient une manière d'être au monde, modeste, naturelle, simplement et pleinement humaine.

« La gentille inscription, de quoi les Athéniens honorèrent la venue de Pompeius en leur ville, se conforme à mon sens :

> D'autant es tu Dieu, comme
> Tu te reconnais homme.

« C'est une absolue perfection, et comme divine, de savoir jouir loyalement de son être : Nous cherchons d'autres conditions, pour n'entendre l'usage des nôtres : et sortons hors de nous, pour ne savoir quel il y fait. Si avons-nous beau monter sur des échasses, car sur des échasses encore faut-il marcher de nos jambes. Et au plus élevé trône du monde, si ne sommes-nous assis, que sus notre cul. Les plus belles vies, sont à mon gré celles, qui se rangent au modèle commun et humain avec ordre : mais sans miracle, sans extravagance » (1740).

Les derniers mots des *Essais* acceptent la vie telle qu'elle nous est donnée et quoi qu'elle nous réserve, la même pour tous, pour les grands et pour les humbles, puisque, devant la mort, nous sommes tous pareils. Montaigne trouve même à reprocher à Socrate, son suprême héros, d'avoir voulu échapper à la condition humaine en ayant un démon qui le tirait par la manche comme un ange gardien. Montaigne, lui, c'est l'homme nu, soumis à la nature, approuvant son sort, notre frère.

Table des matières

Achevé d'imprimer
par l'Imprimerie Floch à Mayenne
en août 2013.
Dépôt légal : avril 2013.
Numéro d'imprimeur : 85330.

ISBN : 978-2-84990-244-8 / Imprimé en France.